1日10分

医学博士 周東 寛
Hiroshi Shuto

60歳からはじめる 寝たきりにならない 超簡単 筋力づくり

コスモ21

60歳からはじめる寝たきりにならない超簡単筋力づくり

筋力の低下が老化を加速

自分の体のことで、

「ああ、年を取ったな」

と感じるのはどんなときですか。

患者さんにたずねると、いろんな答えが返ってきます。


「最近、体を動かすのが億劫になった」

「膝が痛くて歩きづらい」

「腕を上げるとすぐだるくなる」

「筋肉痛が何日も取れない」

「街中の階段で子どもに追い抜かれた」

「自転車で坂を登りきれなくなった」

「腕立て伏せが二回もできなかった」


五〇代になってもまだまだ体力があると思っていたのに、ある日、ふと体の衰えに気づいて愕然としたとか、実年齢より体力年齢のほうがずっと高いことにがっかりしたといった話もよく耳にします。


では、体力って何だと思いますか。私たちは日常、

「体力が落ちた」

「体力に自信がない」

などというふうに使います。


少し専門的にいえば、体力には筋力、敏捷性、平衡性、持久力、柔軟性などの要素が含まれていて、温度調整能力や免疫力、適応能力なども含めて使うこともあります。

ですから、

「年を取ると、どうも体力が下がって」

というのは、そうした個々の能力が低下していることを意味していますが、私は臨

床現場での体験から、とくに筋力の低下が老化を促進すると考えています。

筋肉量が減少すると生命維持能力が低下

筋力は、その人の体質や生活環境、仕事の種類などによって個人差はありますが、年齢による変化には共通した傾向もあります。

骨格を動かす筋肉である骨格筋に関していえば、一般的に三〇代でピークを示し、その後は低下の一途をたどり、**八〇代には三〇代の筋肉量の半分ほど**になってしまいます。

ここで意外に知られていないことがあります。筋肉量は三〇代から五〇代までの二〇年間前後はなだらかに減りますが、五〇代に入るとガクンと落ちる時期があります。このとき、筋力は一気に低下するのです。

これに「中年太り」が重なると、筋力の弱くなった体に重たい服を着たような状態になります。これでは、体を動かすのが億劫になるのもしかたないでしょう。そのまま運動しないでいると、さらに筋力は低下しますし、体重は増えます。ますます体を動かすことが億劫《おっくう》になり運動量も減ります。

筋力低下↓運動量減少↓筋力低下↓運動量減少↓……

という負のサイクルができあがっていくのです。

気をつけなければならないのは、このサイクルに陥ると老化がどんどん加速していくことです。

そもそもヒトは動物の仲間です。動物は「動く物」で、動くことが生命維持の基本になっているのです。

動くには筋力を必要とします。その**筋力が弱まると、動きが悪くなり、生命維持能力も低下**します。ですから、筋肉は動物の生命維持にきわめて大切な役割を担っているのです（拙著『「筋肉の代謝力」が老化を防ぐ』も参照ください）。

肥満やメタボリック症候群といえば、脂肪の蓄積が問題になりますが、おいしいものを食べて体を動かさず楽をしていると、その間に筋力が低下して生命維持能力が低下していることも大きな問題なのです。

百歳までも歩ける筋肉をつくる運動法

筋肉を鍛えるために運動が必要であることは、誰でもなんとなく感じていることでしょう。しかし、中高年期に入るとそれほど力仕事をするわけではないし、普通に生活できればいいからと、筋肉を意識することがほとんどなくなります。

しかし、筋力の低下（＝筋肉量の減少）は、五〇代、六〇代、七〇代と高齢になるほど、腰痛や膝痛、内臓機能や代謝機能の低下、寝たきりなど、生活の質（ＱＯＬ）を大きく損なわせることになります。

しかも、医療の世界では、そのことが明確に説明されず、中高年期の老化防止や健康維持のために「筋肉量を増やす」運動指導はほとんど行なわれないままでした。そんなことは、昔も今も医師が行なう医療の範囲には入っていないと言えば、それまでですが。

そこで本書では、三〇代を境に筋力が下降期に入る中高年の体で筋肉がどんな役割を果たしているのか、筋肉の増減がどうして起こるのかをわかりやすく説明します。

そのうえで、スポーツや趣味、労働のために筋肉を鍛えるというより、それこそ百**歳までも歩ける体をつくるために、五〇代、六〇代、七〇代と楽しく無理なく筋肉を鍛えることができる運動法を紹介**します。いつまでも元気でいられる、まさしく死ぬまで寝たきりにならずに歩ける筋肉をつくる運動法です。**一日一〇分やるだけで運動効果を十分実感**できると思います。

その基本は、

・簡単にできる

・いつでもできる

・室内でもできる

ことです。

本書を読み終えたら、どれか一つ選んで始めてみてください。それを続けていると、二つ、三つと体が自然に求めるようになってきます。その調子で、どんどん自分の体に合った運動を生活の中に取り込んでいってください。

きっと真に自立した健康人への道が拓かれていくことでしょう。

周東　寛

もくじ——60歳からはじめる寝たきりにならない超簡単筋力づくり

I 「筋力の低下」が老化を加速

Ⅳ　六〇歳から身につけたい体にいい運動習慣

V　中高年の体の中でほんとうに起こっていること

カバーデザイン◆中村聡
本文イラスト◆和田慧子

I

「筋力の低下」が
老化を加速

筋力低下と脂肪増加、栄養漏出《ろうしゅつ》の三つが老化の指標

筋力低下と運動量減少、これに太ることが運動すると、老化は一気に加速します。「中年太り」を気にしている人は多いでしょう。見た目が気になるのもあるでしょうが、健康のことも気になるからだと思います。

診断に訪れる方たちに聞いてみますと、「中年太り」についてはこんな印象をもっているようです。

食べる量は増えていないのに太る
生活習慣は変わらないのに太る
気をつけていたのにお腹や下半身が太る

ほんとうにそうでしょうか。

まず「食べる量は増えていないのに太る」ですが、医学の立場から見ると、そんな

ことはありません。

たしかに中高年になると若いころより食べる量は少なくなりますが、食べる中身は気づかぬうちに変わっています。たとえば外食のとき、少々価格が高くても豪華なものや美味しいものを選んでいませんか。

「ぜいたく」なものには糖質、塩分、油や酒といった調味料が意外にたっぷり使われていて「食べる量は増えていないのに太る」ことになりやすいのです。

それなら摂取カロリーに気を使っているから大丈夫、と思われますか。ところが、そこにも意外な落とし穴があります。

摂取カロリーは増えていなくても、消費カロリーのほうが減っていれば、余分なカロリーは体内に残り、脂肪として蓄積されるからです。その結果、「食べる量は増えていないのに太る」ことになるのです。

このままではいけないと慌ててダイエットをしようとすると、中高年の体は若いころより拒否反応が大きく、リバウンドのリスクも高くなります。

ダイエットすれば脂肪は減りますが、筋肉も減っています。その後**リバウンドすると、脂肪だけが再び増えて筋肉は減ったままということになりやすい**のです。

そんなダイエットとリバウンドをくり返していると、脂肪が増えて太るだけでなく、体を支える筋力は弱くなっていくばかりということが多いのです。

次は「生活習慣は変わらないのに太る」です。こうは言いつつも、歩く距離が減っていませんか。歩く速度が遅くなっていませんか。筋肉を使う機会が減っていませんか。

階段の上り下りを避けて、ついエスカレーターに乗ってしまうとか、電車に乗ると近距離でもすぐ空き座席を探してしまう。こんな小さなことでも、毎日積み重なると、運動量はかなり減っていき、気づいたら筋肉量や基礎代謝量がガクンと落ちています。

三つめの「気をつけていたのにお腹や下半身が太る」は、とくに女性にとって悩ましいことです。女性の体は下半身に脂肪をためやすく、燃焼されにくいという特徴があるからです。

しかも女性の場合は、更年期を境に卵巣から分泌される女性ホルモンのエストロゲンが減って満腹中枢を刺激する働きが低下します。そのため、食べても満腹感を得られず、ついつい食べ物に手が伸びやすくなります。これに更年期障害によるストレスが重なると、本人が思っている以上に食べすぎてしまいやすいのです。

脂肪が増加して太ると、体を動かすのが億劫になりますし、気分的にも動きたくなくなります。ちょっと用事があっても、できるだけ筋力を使わないですまそうとしがちです。

こんな生活を続けていると、当然、筋力は低下してきます。下半身への脂肪蓄積も進み、運動量が減ってますます太ってしまいます。

そうして筋力低下と運動量減少が連動する負のサイクルにはまり込み、老化が加速していくのです。

私は30年前から老化現象について研究してきましたが、筋力低下と脂肪増加に栄養漏出を加えた三つが老化を判断する指標になると考えています。

栄養漏出とは加齢に伴って筋肉からタンパク質、アミノ酸が漏《も》れる、皮膚・皮下組織からコラーゲンが漏れる、骨からカルシウムが漏れる現象です（くわしくは一四五頁～を参照）。

この三つを防ぎ、改善することで老化を効果的に防ぐことができますが、私の医療体験では、とくに**筋力低下を防ぐことを、できるだけ早い時期から始めるのがいちばん効果的**であることがわかっています。

「寄る年波に勝てない」は筋肉には当てはまらない

一般に加齢による筋肉量の減少は、**体重を支える抗重力筋**で主に起こるとされています。高齢になるほど体の姿勢が悪化しやすいのは、骨の衰えとこの抗重力筋の衰えが影響していると考えられます。

「老化は足腰から」といわれるように、抗重力筋のなかでもとくに**加齢に伴って筋肉量の減少が顕著なのが大腿《だいたい》前部の筋肉群**（**伸筋群**）です。それが、高齢者の姿勢の悪化や歩行能力の低下、転倒による骨折といったことにもつながっていきます。

抗重力筋ほどではありませんが、その他の筋肉で起こる筋肉量の減少も体のさまざまな機能低下に影響します。内臓機能の低下、基礎代謝の低下、血流の悪化、膝痛、腰痛、肩こり、めまい、後頭部の頭痛、手の痺《しび》れ……

高齢になるにつれて現われる体の変異には、筋肉量の減少が関係しているケースが少なくありません。

たとえば、年齢とともに顔のしわが目立ってくるのは、コラーゲンの減少とともに顔の筋肉量の減少が関係しています。顔全体のたるみや、顎《あご》とか首筋の皮膚のたるみも筋肉量の減少が影響しています。

ですから、筋肉量の減少を抑えれば、こうした加齢による体の変異をかなり防ぐことができるのです。

体に合った運動をすれば筋肉量は何歳になっても増やせる

そうはいっても、年を取ったら筋力が落ちるのはしかたないと思われている方が意外に多いようです。でも、そんなことはありません。

まず、筋肉量と筋力の関係を見ますと、筋肉の単位断面積あたりの筋力は年齢に関係なくほぼ一致しています。五〇代、六〇代になっても、三〇代と筋肉量が同じならば、基本的に同じ筋力を発揮できるのです。

ですから、年を取って筋力が落ちたと感じるのは、それだけ筋肉量が減少したということです。筋肉量の減少と筋力の低下は比例しているのです。

この**筋肉量は、ありがたいことに、何歳になっても自分の体に合った運動をすれば増やすことができます。**もちろん、筋肉量が増えれば筋力もアップします。

筋力が増してくると体の動きがよくなりますから、自然とやる気があふれ、気力も充実してきます。もちろん運動量が増えますから、筋肉を使う機会が増えて筋肉量はさらに増え、筋力がアップして、ますます若々しい雰囲気があふれてくる。こんな正のサイクルができあがります。

じつは筋肉量を増やすと、筋力アップのほかにも体にいいことがあります。

筋肉には新陳代謝を活発にする働きがあります。それによって、不必要になった有害な老廃物は処理され、排出されるので、体の細胞がきれいになります。ですから、

筋肉量を増やすと、体の若返りにもつながるのです。

じつは、筋肉を動かして運動すると細胞内にはサイクリックＡＭＰという万能の活性物質が増加します。この物質には細胞を活性化する働きがあり、それも若返りにつながります（くわしくは一〇五頁〜を参照）。

中高年になるほど運動が大事

若いころなら大して運動をしなくても、筋肉量はそれほど減少しないでしょうが、三〇代を境に筋肉量の減少期に入ると、運動量の減少はそのまま筋肉量の減少につながります。

しかも、体を動かさない分、カロリーの消費が減りますし、筋肉量が減ると新陳代謝も落ちるので、体内に脂肪が蓄積されやすくなります。

診断していますと、このことに気づいていない人が多いことに驚かされます。それで、来院した患者さんには運動していますかと、必ず声をかけるようにしています。

中高年期になったからこそ、日ごろどれくらい運動しているかに気を配ることが大事

なのです。

それならと、若いころを思い出してスポーツをやろうとしたり、運動は体にいいからと急に体を動かすことは、中高年者にとってはリスクを伴います。あまり無理をして運動すると、怪我をする危険性が高くなるからです。

怪我をして体を動かせないと、中高年者ほど筋肉量の減少が大きくなります。しかも、中高年者ほど回復が難しいのです。結果として、一度の怪我でも筋肉量がガクンと落ちるきっかけになってしまいます。

何より中高年になると、体力面や気力面が激しい運動に向かなくなります。

ですから、中高年期に筋肉を鍛えるには「**軽くて楽にできる運動を、小刻みに、できるだけたくさんの回数行なう**」ことがもっとも効果的なのです。怪我の心配もありませんし、それだけで十分、老化を予防し、百歳までも歩ける筋力づくりができます。

六〇歳からの筋肉には軽い運動が最適

患者さんに運動しましょうとすすめると、

「この年になると、運動といっても、思うようにはできない」
とおっしゃいます。

運動というと、どうも昔やったスポーツのことが思い浮かぶようです。若いころはよく走った、テニスをやった、バレーやバスケットをやった。でも、今からそんなスポーツを再開する自信はない。ゴルフとか散歩くらいの運動では筋肉を鍛えられそうにない。

こんなふうに思われているようです。

中高年期の筋肉を鍛えるために必要なのは、自宅のリビングなどでもできる軽い運動で十分なのです。それで筋肉量を増やすことができますし、骨量を増やすこともできます。しかも、軽い運動をするだけで、成長ホルモンの分泌を活性化することがわかっています。

成長ホルモンには成長に関する作用と代謝をコントロールする作用がありますが、中高年になるほど、代謝をコントロールし、体の中から若さを維持する作用が重要になります。

中高年期における運動量の減少は、筋肉量を減少させるだけでなく、この成長ホルモンを減少させるという点でも老化を加速してしまうのです。

運動量の減少↓筋肉量&成長ホルモンの減少↓老化を加速↓運動量の減少↓……

そのうちしっかり運動しようと思いつつ、ずるずると何もせずに日を重ねていると、こんな負のサイクルにはまり込んでしまいます。

中高年期の筋肉量は日々の軽い運動で十分維持できます。だからこそ、そうした積み重ねをするかしないかで大きな差が出てきます。とくに筋肉量がガクンと落ちる五〇代以降に、その差がはっきりと出やすいのです。

中高年期の筋肉は、軽い運動、簡単な運動で十分、筋肉量の減少を防ぐことができますから、**気づいたらすぐ始めることがもっとも大事**です。

医療現場で生まれた筋肉にいい運動法

診断していますと、みなさん、よく、こうおっしゃいます。

「生きている限りは寝たきりにならず、元気でいたい」

ところが、日本人の寝たきりになる割合は高くなる一方です。六五歳以上で寝たきりになった場合、三年以上寝たきり状態が続く割合はなんと五〇%近くです。しかも、この数字は一〇年以上前のもので、いまはもっと高くなっていると思われます。

寝たきりにならず死ぬ直前まで自由に歩ける体だったら、どんなに幸せだろう。そのためにできることはあるのだろうか。

確実にできることがあります。体を動かすことです。自分の体の状態に合った運動を生活のなかに取り込んで筋力の低下を防ぐことです。

そもそもヒトは動物の仲間であり「動く物」であると「はじめに」でお話ししましたが、**体を動かすためのいちばん基本的な運動は、歩くこと**です。ですから、**筋肉を鍛える運動の基本も歩くこと**です。

私はいまから三〇年以上も前に、医療の面から見ても、歩くことは健康のためにたいへん効果的であると力説しました。しかし、そのころはまだ、いまのように歩くことの重要性が認識されてはいませんでした。

いまは状況が変わり、健康にいいからと歩く人が増えています。研究分野でも、六五歳を超えた高齢者の生存率が歩行速度と強い相関関係があることなどもわかってきています。

歩き方は歩く速度に応じて、「**緩歩**《かんぽ》」と「**平常歩**」と「**速歩**」の三つに分類されています。

「**緩歩**」は、おしゃべりしながら歩く速さで、一分間に六〇メートルくらいの速度です。この歩き方は、頭の働きを活発にするのに向いているといわれます。

「**平常歩**」は、通勤、通学などで平坦地を歩く速さで、一分間に七〇メートルから七五メートルくらいの速度です。この歩き方は、多くの人にとって、いちばん「楽な歩行」であるといわれています。

「**速歩**」は、歩幅を広くして、サッサッと風を切るように歩く速さで、一分間に九〇メートルほどの速度です。この歩き方だと、脚だけでなく腕を大きく振り、全身を使って歩くため、体全体の筋肉を鍛えるのに向いていますし、健康増進にもっとも適した歩き方です。

歩くことに加えて、中高年の筋肉に適した運動を取り入れるともっと効果的です。

一般に筋肉を鍛えるといえば、マッチョな体づくりとか、スポーツのための体づく

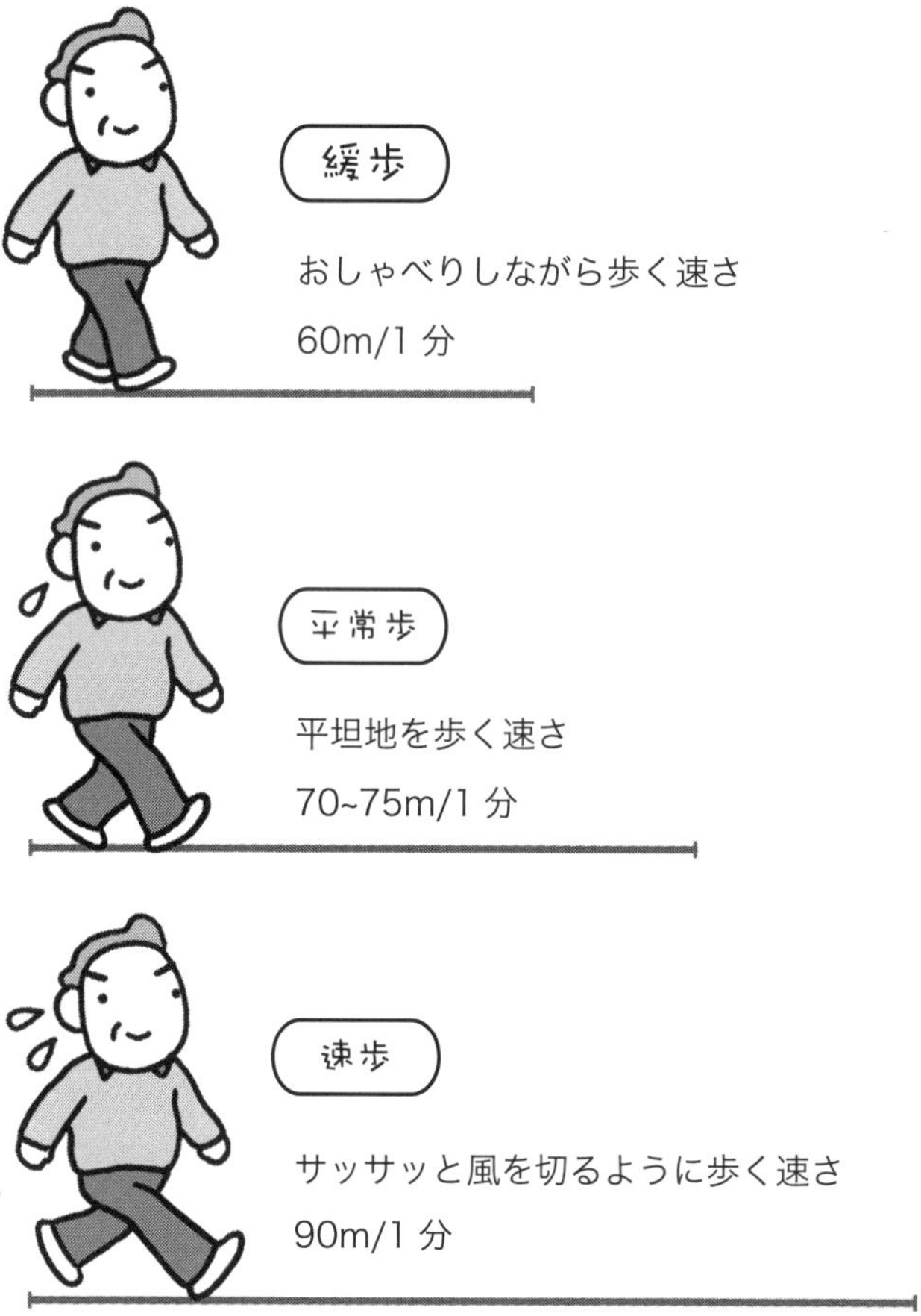

「速歩」は全身を使って歩くため健康増進にもっとも適している

りといったイメージがあります。そのためのトレーニング法を紹介した本もたくさん出ています。しかし、中高年期の筋肉の重要性や鍛え方についてはほとんど確かな情報が見当たりません。

たとえば、自分はまだ元気だからと、それまであまり運動していなかったのにいきなり運動すると、筋肉痛がひどくなったり、体がだるくなったり、筋肉痙攣を起こしたりします。

あまり運動しないまま中高年になると、筋肉の細胞膜の酸素を取り込む機能が低下してきます（老化現象）。その状態でいきなり運動すると、筋肉細胞は必要な酸素を十分取り込むことができません。

そこで本書では、そうした中高年の筋肉の特性をわかりやすく説明するとともに、とくに筋肉量が急減する五〇代から始めて六〇代、七〇代、八〇代と無理なく続けられる筋肉にいい簡単な運動法を具体的に紹介しています。

それらはすべて、私が医療現場で実践指導しながら、その効果を確認したものばかりです。ただし体に違和感を感じたら、医師にご相談のうえ行なうようにしてください。

Ⅱ

意外に知らない
六〇歳からの筋肉

筋肉には三つのタイプがある

筋肉というと、体のさまざまな部分を動かすためのものと思われがちですが、それは筋肉のなかでも骨格筋を指しています。

筋肉は大まかには**骨格筋**と**平滑筋**、**心筋**の三種類に分類されています。

骨格筋は主に関節を動かして体を動かす筋肉で、自分の意志で動かせる「随意筋《ずいいきん》」です。

平滑筋は主に内臓に張り巡らされている筋肉で、自分の意志とは関係なく働き続ける「不随意筋《ふずいいきん》」です。

心筋は心臓を動かすための筋肉で、不随意筋の仲間です。

まず骨格筋です。この筋肉は、関節を介して接続している異なる骨に、両端がそれぞれ接続しています。この筋肉は、収縮性のある筋線維《きんせんい》（筋細胞）を束ねた筋束の集まりで、顕微鏡で見ると横縞《しま》模様になっていることから横紋筋《おうもんきん》とも呼ばれています。

骨格筋は、関節における役割の違いから、大きく屈筋《くっきん》と伸筋《しんきん》に分かれます。屈筋は関節の曲がる側についていて、縮むことで関節を曲げます。伸筋は曲がる側とは反対側についていて、やはり縮むことで関節を伸ばします。

ひじ関節ならば、ひじを曲げる働きをする上腕二頭筋《じょうわんにとうきん》は屈筋で、ひじを伸ばす働きをする上腕三頭筋《じょうわんさんとうきん》は伸筋です。

骨格筋は意志で動かせる随意筋ですから、日ごろから体を動かそう、運動しようという意志が働けば動く機会は増えます。そうして動かすことが筋力の維持、増強につながります。

骨格筋は、私たちの意識しだいで強くも弱くもなる筋肉なのです。

ちなみに、骨格筋の成長や維持にはホルモンの働きも関係しています。なかでも関係が深いのが成長ホルモンとテストステロンというホルモンの二種類です。

成長ホルモンは、脳下垂体前葉から分泌される成長に関わるホルモンです。テストステロンは、男性ホルモンの一種で、小児期には骨格筋の成長を促し、成人になってからはその大きさを維持するホルモンです。運動することで、これらのホルモンバランスを調えることも、筋力の維持、増強につながります。

次は不随意筋である平滑筋です。内臓筋ともいいます。この筋肉は、意志によって動かすことはできないので、平素意識することはないでしょう。

放っておいても昼夜いとわず働いてくれます。たとえば、動脈の血管壁をつくっている平滑筋は収縮と弛緩をくり返しながら血液を運んでいます。腸管の周囲を覆っている平滑筋は蠕動《ぜんどう》運動を起こして、食物や便を運ぶ働きをしています。

最後に心筋は心臓を形づくっている筋肉です。この筋肉も平滑筋と同じく不随意筋ですから平滑筋の仲間です。筋線維（筋細胞）を見ると横紋になっているので、骨格筋と同じく横紋筋でもあります。

ただし、骨格筋の筋細胞が多核細胞であるのに対して、心筋の場合は単核細胞になっています。

これら三つの筋肉のうち、**私たちが意識して鍛えることができるのは、随意筋である骨格筋**だけです。不随意筋である平滑筋や心筋を直接鍛えることはできません。

しかし、骨格筋を鍛えることは、不随意筋が正常に機能しやすい体内環境をつくる

筋肉の種類

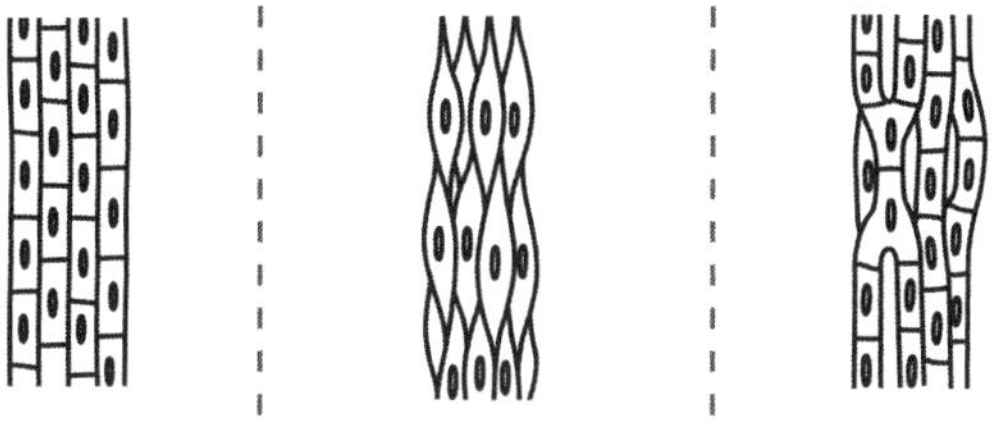

骨格筋（横紋筋）	平滑筋	心筋（横紋筋）
随意筋	不随意筋	不随意筋
主に関節を動かす筋肉	内臓に張り巡らされている筋肉	心臓を動かす筋肉
鍛えられる	鍛えられない	鍛えられない

ことにつながるのです。

体内に存在する余分な糖分や脂肪は内臓や心臓で働く不随意筋にも蓄積されて、その働きを低下させます。それが内臓や心臓の疾患につながっていきます。**運動をして骨格筋を鍛えると、余分な糖分や脂肪を燃焼させますし、代謝もよくなります。**

それによって**脂肪が不随意筋に過剰に蓄積するのを防ぐこともできます。**

しかも、骨格筋は五〇代、六〇代、七〇代と年を取っても本書にあるような軽い運動を続けるだけで十分鍛えることができます。

筋線維を太くすると筋肉量は増える

ここまで「筋肉量を増やす」「筋力をアップする」といった表現を使ってきましたが、それらは筋肉を構成する筋線維を太くすることです。

筋線維の数は生まれたときから変わらず、増減することはありません。筋肉量は筋線維自体の大きさによって決まります。**筋線維が太くなれば筋肉量は大きくなります**し、**筋線維が痩《や》せ細ると筋肉量は減少**します。

運動をすることで筋肉量を増やせるのは、この筋線維を太くできるからなのです。

では、運動をすると、どのように筋線維は太くなるのでしょうか。

運動するには、筋肉を伸縮させなければなりません。このとき筋肉にかかる負荷によって、筋線維が切れてしまいます。とはいっても一度に大量の筋線維が真っ二つに切れるわけではありません。何本かが切れて、二時間から四八時間ぐらいと諸説ありますが、ほどなくつながります（再建されます）。

このとき、筋線維はまた切れないようにするため、より太くなります。再び切れると、ますます太く修復しようとします。

私たちが筋肉量を増やそうと運動しているとき、筋肉内ではこのようなことが起こっているのです。

たとえば、ボディビルダーは、ほぼ毎日のようにボディを鍛えています。とはいっても、全身をいっぺんに鍛えるのではなく、体をいくつかの部分に分けて順番に行なっていきます。

一日目に三分の一ほどを鍛え、翌日は次の三分の一、その翌日には残り三分の一といった具合に順番に鍛えていきます。そうして各部位の筋線維を順番に太くすることで、あのマッチョな体をつくっているのです。

しかし、中高年期に老化防止のため筋肉を鍛えるのには、それほど厳しい運動は必要ありません。

「短時間に、手軽に、室内でできる運動」で十分効果が期待できるのです。それまでほとんど運動する習慣のなかった人なら、数カ月で見違えるほど筋肉がついてきます。

このことは、筋肉の性質を見ていくと、もっとよくわかります。

白筋(速筋)と赤筋(遅筋)の違い

じつは、筋肉を構成している筋線維には二種類あります。**素早く収縮できるがすぐ疲れやすい白色の線維**（白筋《はっきん》・速筋）と、**収縮はゆっくりしているが疲れにくい赤色の線維**（赤筋《せっきん》・遅筋）です。

遠海魚のカツオやマグロに赤身が多いのは、持続的な運動に適している赤筋が多いからです。

鳥の場合ですと、長い距離を飛ばなければならない渡り鳥の胸筋は赤筋の比率が高くなっていますが、空を飛ぶことのないニワトリの胸筋は白筋の比率が高くなっています。ニワトリの胸筋は「ムネ肉」として売られているので、これを見ればよくわかります。

陸上競技の選手だと、短距離走者は白筋が多く、マラソンなどの長距離走者は赤筋が多くなっています。意外に思われるかもしれませんが、相撲の力士は一見、ふだんの体の動きがゆったりしていて赤筋が多そうですが、実際は白筋が多くなっています。

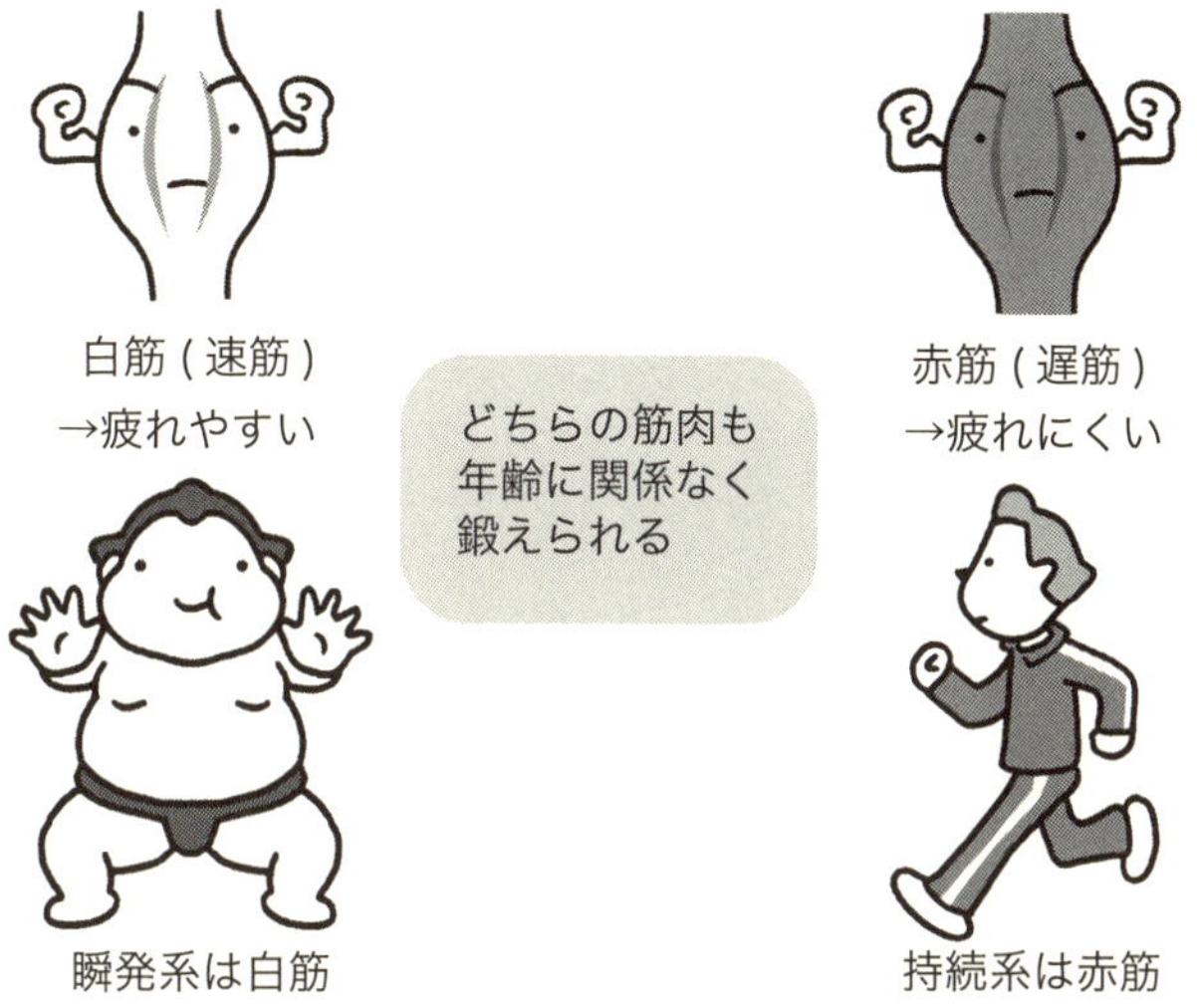
白筋（速筋）
→疲れやすい
どちらの筋肉も
年齢に関係なく
鍛えられる
赤筋（遅筋）
→疲れにくい
瞬発系は白筋
持続系は赤筋

相撲は、短い時間で勝負がつくからです。

私たちの体の中では、呼吸をするために肺を動かしたり、骨を支えて姿勢を維持したりと、生命維持に関わる部分で赤筋がよく使われています。

赤筋には毛細血管が多く、酸素がたっぷり供給されるので、ブドウ糖を燃やしてエネルギーに変える力が強いのです。

赤筋が増えると基礎代謝がアップするといわれるのも、そのためです。

一方、収縮速度が速く、素早く大きな力を発揮する白筋は、ヒトの体では表面近くに多く、咳やくしゃみ、とっさによけたり、逃げたりするときに使われます。走ったり、飛んだり、重いものを持ち上げたりと、短時間に集中して力を使うような運動のときにもよく使われます。

これら二種類の筋肉と加齢との関係を見ますと、年齢による変化に差異があります。年を取るにしたがってより減少しやすいのは白筋のほうです。高齢になるほど俊敏性が低下しやすいのも、そのためです。

しかし、先述したように、**筋肉は運動をすれば、年齢に関係なくその筋肉量を増やすことが可能**です。とくに**二種類の筋肉についてはバランスよく鍛える運動をすることが大切**です。

☆コラム　白筋と赤筋ではエネルギーを得る方法が異なる

遅筋である赤筋が赤いのは、濃い赤色をしたミオグロビンという、酸素と結合しやすい酵素を多く含んでいるためです。一方、白筋が白く見えるのは、このミオグロビンがほとんど含まれていないからです。

赤筋と白筋はともに、「生体のエネルギー通貨」とも呼ばれるATP（アデノシン三リン酸）という物質が分解されて発生するエネルギーを使って収縮します。

ですから、赤筋と白筋を動かすには、筋肉内にATPをたっぷり補充しておくことが必要です。ATPが増えると、ATPから生成されるサイクリックAMPも増加して細胞を活性化します。

このATPのつくり方が赤筋と白筋とで違っています。

ミオグロビンを豊富に含んでいる赤筋は、この酵素を通して得られる酸素を使って長い時間にわたりATPを合成することができます。そのATPからエネルギーを得続けることで、長時間にわたって伸縮を続けることが可能になります。

他方、ミオグロビンをほとんど含まない白筋内で、ATPをつくるのに重要な役割を果たしているのがクレアチンリン酸というエネルギー貯蔵物質です。

この物質は、無酸素でも急速にATPをつくることができます。そのおかげで、全速力で走るとき、ほとんど呼吸を止めて走っても筋肉を動かせるのです。

ただし、それは短時間に限られ、その後も白筋でATPをつくり続けるためには糖を分解しなければなりません。その結果、乳酸が生じるため、筋肉は硬くなって動きが悪くなり、疲れを感じるのです。

筋肉を太くするには適度な負荷が必要

加齢による筋肉量の減少を白筋と赤筋で比べると、白筋の筋肉量の減少がより早く進むことはお話ししましたが、運動量が減少すると、先に細くなるのは遅筋である赤筋で、その後、速筋である白筋の筋線維が細くなります。

いずれにしても、運動して負荷がかからない状態のままにしておくと、赤筋も白筋もともに筋線維が細くなり続けます。ついには水気がなくなって硬くなります。白筋のほうはコラーゲンの筋《すじ》になり、まさしく「骨皮筋衛門」状態になってしまいます。

硬くなった筋線維は切れやすく、ちょっとした刺激でも痙攣《けいれん》を起こします。高齢になると手足や顔などがひとりでに痙攣することがありますが、それは、まさしくこの現象です。さらにひどくなると、痙攣さえしなくなります。

しかし、このように筋肉が痩せ衰えるのを年齢のせいだとあきらめる必要はありません。ふだんから運動を心がけて筋肉に適度な負荷をかければ十分防ぐことができます。

ただし、白筋と赤筋の筋線維ではエネルギーのつくり方が異なっているため、そのことを考慮した運動が必要です。

白筋を太くするには、回数は少なくてもよいから、一度に強い負荷をかけるような運動が向いています。赤筋を太くするには、一度に強い負荷をかけず回数を多く行なうような運動が適しています。

このことを無酸素運動と有酸素運動で説明しますと、無酸素運動は白筋に負荷をかけるのに向いていて、有酸素運動は赤筋に負荷をかけるのに向いています。

無酸素運動というと、呼吸をしないで激しく運動するようなイメージがありますが、そうではありません。酸素を使わないで短時間に大きなエネルギーをつくる白筋（速筋）を主に使うのが無酸素運動で、酸素を使ってゆっくり時間をかけて徐々にエネルギーをつくる赤筋（遅筋）を主に使うのが有酸素運動です。

参考までに、白筋の筋線維のほうが赤筋の筋線維より太くなりやすいといわれています。これは、瞬発力が求められるため白筋が発達しやすい短距離走者の脚が、長時間走り続けるために赤筋が発達しやすいマラソンランナーの脚より太いことでも納得できます。

白筋と赤筋をバランスよく鍛える
――ブルース・リー運動

私たちの体の筋肉を分類するとき、深層部にあるものをインナーマッスル、表層部にあるものをアウターマッスルと分けることがあります。アウターマッスルは、骨格筋のように主に体を動かすときに使う筋肉です。一方、インナーマッスルは、主に体の姿勢の調節や関節の位置を維持する筋肉です。

中高年者が老化予防として行なう場合は、アウターマッスルの赤筋と白筋をバランスよく鍛えるのが効果的です。

それには、無酸素運動と有酸素運動を上手に組み合わせて運動することが必要で、そのためにおすすめなのが「**ブルース・リー運動**」です。これは有酸素運動と無酸素運動を組み合わせたもので、室内で簡単にできる楽しい運動です。

ブルース・リー運動

有酸素運動と無酸素運動が交互にくり返されるようになっているため、アウターマッスルの赤筋と白筋をバランスよく鍛えるのに向いています。

1 足を肩幅に広げて立ち、膝は軽く曲げる。両手を前に向けて広げ「前ならえ」をするように腕を伸ばす。肘は軽く曲がっているくらいでよい。

2 この姿勢で握りこぶしをつくり、10 秒間くらい息を吐きながら、両手が震えるほど力を入れ続ける。

3 1と2の動作を 5、6 回くり返す。(赤筋が鍛えられる)

4 １の姿勢に戻って、今度は腰を横８の字を描くようにゆっくり回す。 このとき、腕も腰の動きに合わせて水平に８の字を描くようにゆっくり動かす。
この動作を腹式呼吸（３秒間で鼻から吸って９秒以上をかけて口から吐く）をしながら５、６回行なう。

（赤筋が鍛えられる）

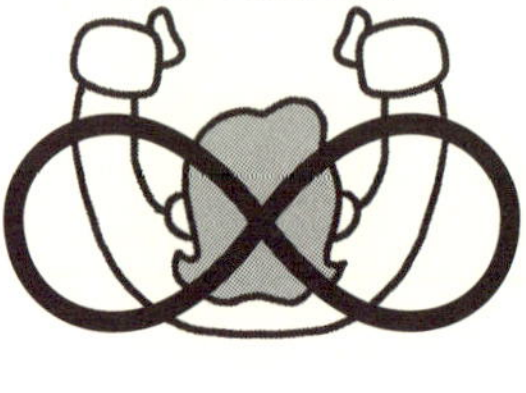

5 次に両足、両腕を広げて構える。

6 ブルース・リーになったつもりで、腹部や腕に力を入れ、両手でこぶしをつくる。　両腕を交互に相手をつくように動かしたり、肘でついたりする。
（白筋が鍛えられる）

ポイント
すり足で細かく前後に移動すると、さらにブルース・リーっぽくなる。

Ⅲ

これからでも筋力がつく超簡単運動法

足腰の筋肉全体を鍛える
——中腰スクワット、骨盤スクワット

骨格筋の七割は足腰に集中しています。「老化は足腰から」といわれるのは、その筋肉が年を取るにつれて弱くなるためです。ですから、**老化を防ぐには、足腰の筋肉量を増やすことがとても効率的**なのです。

足腰の筋肉を鍛える運動として、もっともよく知られているのがスクワットです。スクワットは、とても簡単な運動ですが、意外に奥が深く、その人の筋肉量や体力に合わせて工夫できます。

ですから、中高年の体に合わせて取り組めば、足腰の骨格筋を効果的に鍛えることもできます。

中腰スクワット

椅子につかまりながらのスクワットです。
無理せず足腰を鍛えましょう。

1 足を肩幅に広げ、背筋を伸ばして真っ直ぐに立つ。
足先は少し外に開く。

2 椅子の背もたれにつかまりながら太腿が地面と平行になるまで膝を曲げたら、膝を伸ばして真っ直ぐの姿勢に戻す。

この動きを1セットとして最初のうちは10回くり返す。慣れてくるにつれて20、30回と増やしていく。1日にトータルで50回くらいが目安。

ポイント

なるべく背中はまっすぐに。

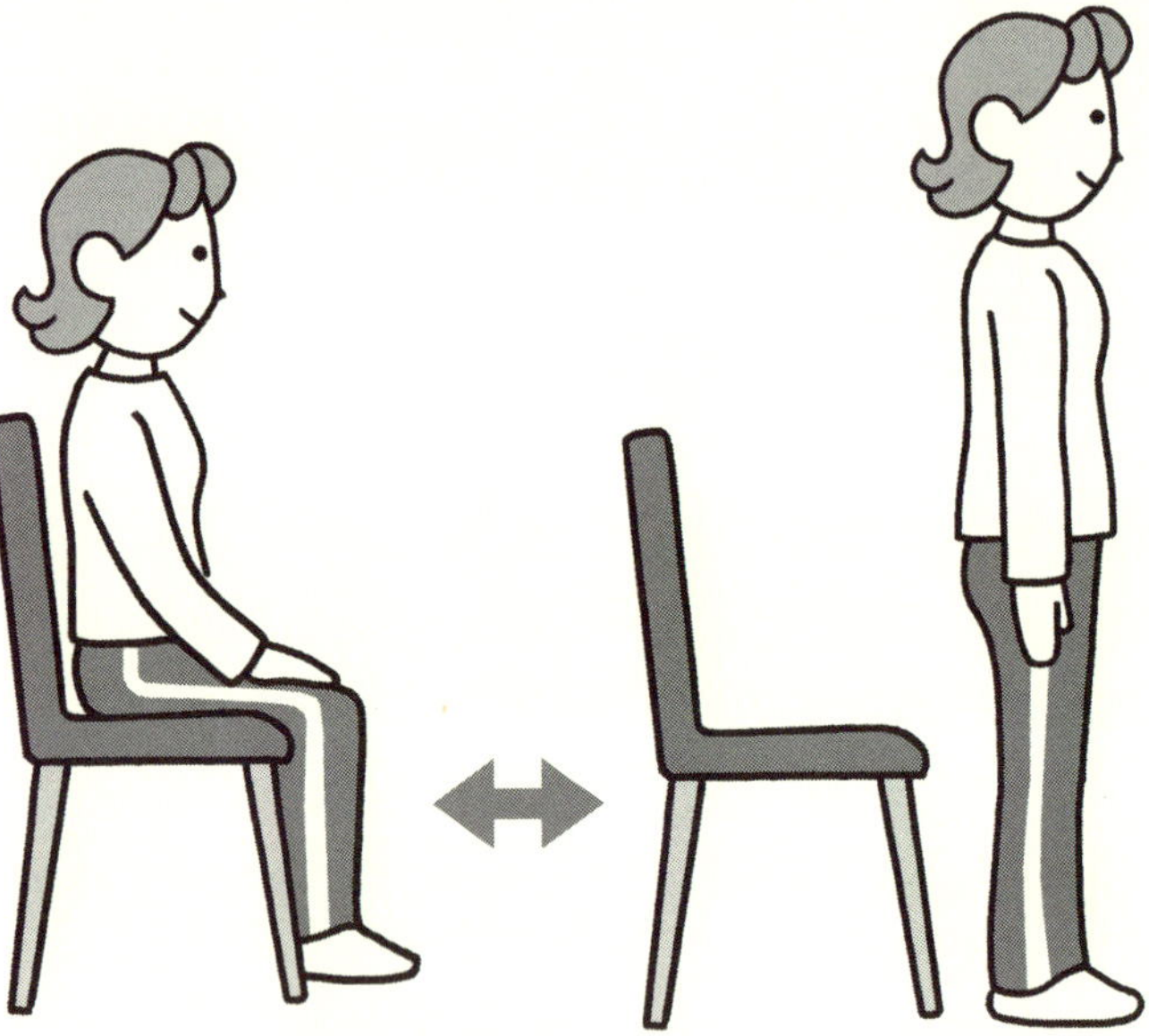

3 膝が痛い人は、椅子を用意して腰掛け、その状態から立ち上がる。そこから再び、ゆっくり膝を曲げて椅子に腰掛ける。この動作をくり返す。1度にやる回数は膝に負担にならない範囲でよい。

骨盤スクワット

「中腰スクワット」よりもきついですが、その分肥満の解消も期待できます。

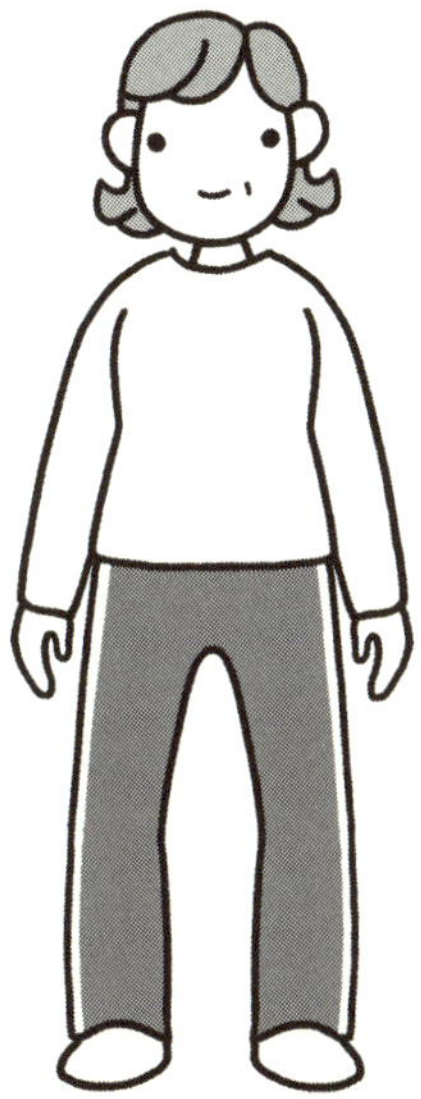

1 足を肩幅に広げ、背筋を伸ばして真っ直ぐに立つ。
このとき、つま先はできるだけ外側に向ける。いわゆる「がに股」になる。

2 その姿勢のまま太腿が地面と平行になるくらいまでゆっくり 4、5 秒ほどかけて腰を落とす。

3 こんどはゆっくり 15 秒 ほどかけて腰を上げて元の位置に戻す。

4 2と3を 5 回ほどくり返す。慣れてきたら徐々に回数を増やしていく。

ポイント

ゆっくりじっくり行なうことで脂肪を燃焼させましょう。

太腿の筋肉を鍛える
——仮想ボール蹴り運動

歩幅が小さくなると、歩くとき、太腿の筋肉をあまり使わなくなり、この筋肉が弱くなります。その影響で爪先が上がらず、ちょっとした段差でもつまずきやすくなります。

効果的に無理なく太腿の筋肉を鍛える中高年者向けの運動があります。それは、サッカーボールが目の前にあるとイメージしながら、それをつま先で蹴るようにして太腿を上げる運動です。

ここではその場で太腿を上げるやり方を紹介していますが、少し広いスペースを取れる所でしたら歩きながらやってみてください。サッカーボールをつま先で蹴るつもりで、足を前に出すと、普通に歩いているよりつま先が高く上がり、歩幅が大きくなります。

仮想ボール蹴り運動

ボールを蹴る足の動きは自然に太腿を使うので筋肉が鍛えられます。

1 背筋を伸ばして立ち、目の前にサッカーボールをイメージする。

2 ボールを蹴り上げるつもりで、膝を伸ばした状態で太腿を上げ、その場で10回足踏みをする。

3 休み休みでいいので、これを10回くらいくり返す。

ポイント

太腿を上げたときの腿裏の筋肉の動きを意識しましょう。

足腰の筋肉を鍛えれば関節疾患も減少

歩くのが体にいいのはわかっていても、膝や腰の関節が痛くて歩くのが辛いとおっしゃる患者さんがいます。もちろん、関節に炎症や痛みがあれば、それを取り除く治療が必要ですが、それだけでは根本から治癒させることはできません。そのときの体の状態に合わせて、運動量を少しずつ増やしていくことが必要なのです。

私たちの体が体形を維持できるのは、骨格を形成する二〇〇数個の骨と、それらを結合する関節や軟骨、筋肉、腱、靭帯《じんたい》などの組織のおかげです。

そのなかで筋肉と腱は骨と骨を関節で結びつける働きをしています。骨と筋肉と腱の三つは三人兄弟のように連係しているのです。丈夫な関節は骨も筋肉も腱もしっかりしています。

関節疾患でいちばん多いのが変形性関節症です。関節の変形などで炎症や痛みが起こります。中高年になるほど多く発症し、四〇歳から七〇歳くらいまでの女性にとくに多く発症します。七〇歳を過ぎたあたりからは男女差はなくなります。

この変形性関節症には骨粗鬆症《こつそしょうしょう》による骨密度の低下や軟骨のすり減りなど、いくつかの要因が関係していて、皮膚の老化と同じく、これといった効果のある治療法はないという説もあります。

しかし、私の臨床体験では、サルコペニアといって筋肉量が減少することの影響が非常に大きいことがわかっています。筋肉量の減少は運動量の減少と連動していますから、変形性関節症は日常の運動不足の影響がとても大きいと思われます。

ですから、変形性関節症の治療には、炎症や痛みを取る治療とともに、運動量を増やすことで根本から治癒させる治療も大事なのです。

もちろん、突如、激しい運動をすることはよくありませんが、体に負担がかからない範囲を見定めて少しずつ歩く時間を増やすなど運動量を増やしていくことが必要です。

いまから関節症が発症しないよう予防したいなら、関節周辺の筋肉の衰えを防ぐ運動をすることがとても有効な対策になります。

運動には関節軟骨の劣化を防ぐ働きもある

関節症を防ぐために運動が有効であることは、関節軟骨と運動の関係を考えてもよくわかります。

関節軟骨は、なるべく使わないでおいたほうが劣化しにくそうですが、実際は反対です。歩くこと、運動することで適度の負荷を与えるほうがいいのです。

関節の軟骨には、血管もリンパ管も通っていませんが、関節液を通して栄養や酸素は届いています。それは、軟骨をスポンジに見立てて考えると、よくわかります。スポンジを手で押して離すと水を吸い込みます。これと同じ原理で軟骨に負荷をかけてやると、周囲の組織から栄養や酸素が補給されます。

ですから、**歩くこと、運動することで軟骨にかかる負荷を強めたり弱めたりしなければ、軟骨の中に酸素や栄養は十分行き届かない**のです。

運動量が減少すると、軟骨が劣化し関節症が発症しやすいのはこのためです。

いったん関節が痛むと動かすのがつらいので、運動量は減少します。すると軟骨の劣化が進み、さらに関節の痛みが増して、運動量が減少するという負のサイクルに陥ってしまいます。

歩くこと、軽い運動をすることは関節軟骨の劣化を防ぐためにも有効です。

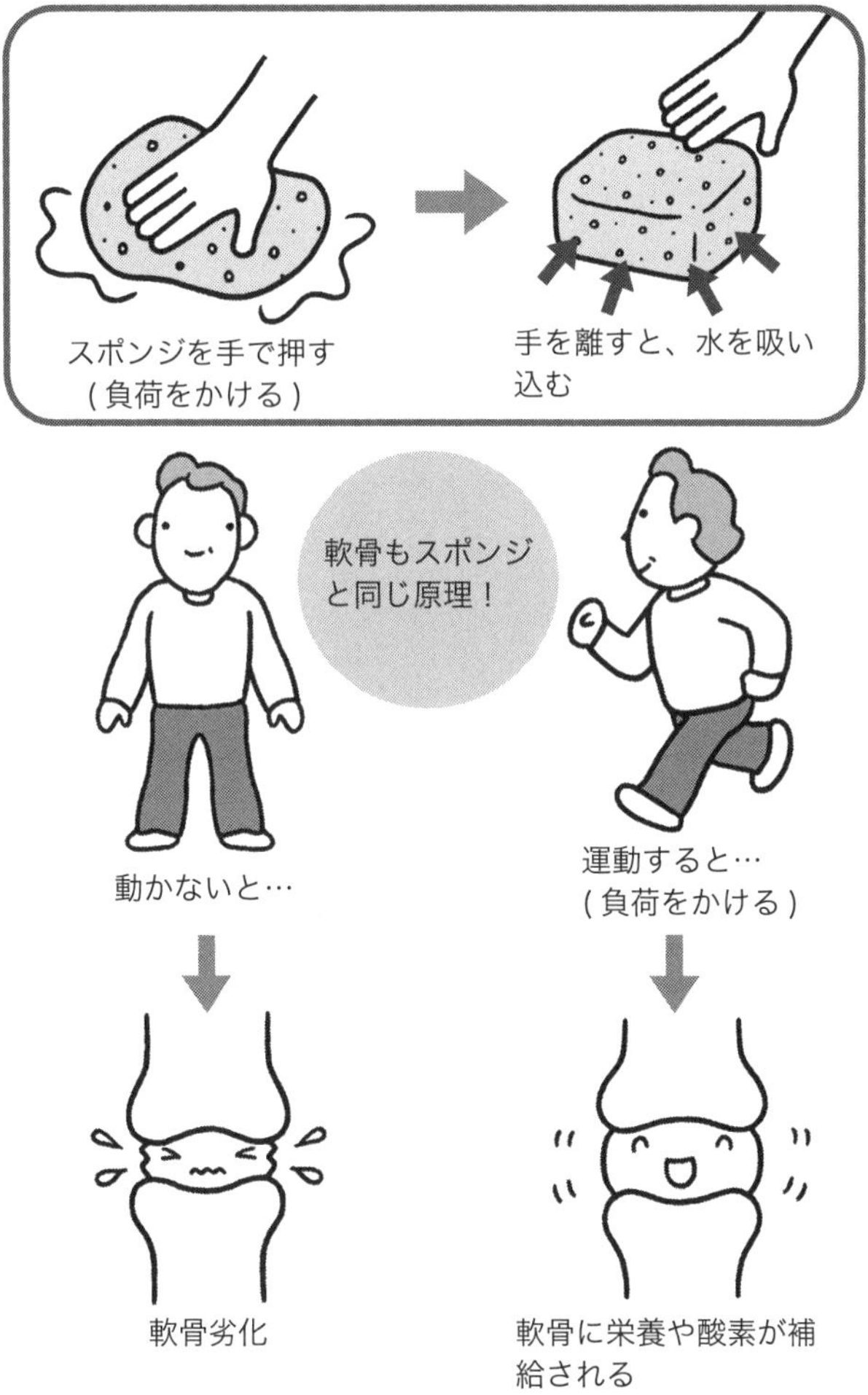
スポンジを手で押す
(負荷をかける)
手を離すと、水を吸い込む
軟骨もスポンジと同じ原理！
動かないと…
運動すると…
(負荷をかける)
軟骨劣化
軟骨に栄養や酸素が補給される

下半身の関節筋肉を鍛える

——中腰歩き運動

股関節や膝の関節など、下半身の関節に故障が起こると、体の動きが急に悪くなります。それを防ぐために、関節周辺の筋肉を鍛えましょう。

そのためにおすすめしたいのが、腰を落として中腰で歩く運動です。能や狂言のように腰を落として歩きます。それだけです。

中腰で歩くというのは意外にきついものです。腰を深く落とすほど、足腰の筋肉に負荷がかかりますから、きついようなら少し腰を高めにしてください。

中腰で歩くとき、前かがみになってしまうと、足腰の筋肉に効果的に負荷がかからなくなってしまいます。前屈みにならないよう意識的に背筋を伸ばしてみましょう。

中腰歩き運動

中腰で歩くと、一度に効果的に足腰の関節を鍛えることができます。

1 足を肩幅に広げて立ち、背筋を伸ばしたまま腰を落として中腰になる。

2 中腰のまま10歩いたら膝を伸ばして立つ。

3 再び膝を曲げて中腰になり、10歩いて膝を伸ばす。

4 この動作を10回ほどくり返す。

ポイント

歩くとき頭が上下しないように腰の高さを一定に保ちましょう。

膝の筋肉を鍛える
――中高年向き膝の屈伸運動、踵持ち上げ運動

歩くとき、膝には体重の二〜三倍の負荷がかかります。体重が五〇キロあると、膝には一〇〇キロから一五〇キロの負荷がかかっていることになります。五キロ太ると、膝への負荷は一〇キロから一五キロ増えることになるのです。ですから、少しの肥満でも膝には大きな負担になっているのです。

とくに中高年期に膝痛が起こりやすいのは、中年太りによる膝への負担増と、膝まわりの筋力の低下が重なるからです。

対策としては、肥満対策と同時に、膝のまわりの筋肉を鍛えておくことが大切です。このようなお話を患者さんとしていますと、膝の筋肉など鍛えようがないと思い込んでいる方が多いのに驚かされます。ほんとうは、とても簡単に、しかも短時間で鍛えることができます。

中高年向き膝の屈伸運動

屈伸運動は膝の筋肉を鍛えるのに有効です。ここでは中高年向きにアレンジした少しラクな屈伸運動をご紹介します。

1 両足を肩幅くらいに開いて立ち、片方の手をテーブルや椅子にかける。

2 その状態からゆっくり腰を落としていき、しゃがみ込む。1、2 秒そのままにして立ち上がる。

3 この動きを 5~6 回くり返す。

ポイント

踵を上げてしゃがむと膝への負担が軽くなる。立ち上がるときは膝が完全に伸びきるまで立ち上がらないこと。

上級編

1 両足を肩幅くらいに開いて立ち、腕を胸の前で組む。

踵は床につけたまま

2 その状態でゆっくりしゃがみ、立ち上がる。このとき、踵を地面につけたまましゃがむと、さらに効果が高まる。

踵持ち上げ運動

膝の屈伸運動よりも、もっと簡単に膝の筋肉を鍛えられます。座ったままできるので、体への負担が少なく継続しやすいです。

1 床や畳、ストレッチマットなどの上に座り、両足を真っ直ぐに伸ばす。このときつま先は上に向けて立てておく。

2 右足の踵を左のつま先と同じ高さになるところまで真っ直ぐ上げる。そして、5秒ほどそのままにしてからゆっくり下ろす。

3 次は左足の踵を右足のつま先の高さになるところまで真っ直ぐ上げ、5秒ほどそのままにしてからゆっくり下ろす。

4 このくり返しを、20回ほど行なう。

ポイント

上げたほうの足の踵は、反対側の足のつま先にのせないこと。

骨盤周辺の筋肉を鍛えて腰痛を防ぐ
――ゴキブリ体操、グランドスイミング

骨盤体操はもともと、骨盤を揺らすことで歪みを矯正しようとするものですが、その後、腹腔内の筋肉が活性化し、脂肪の燃焼が促されることもわかってきました。いちばん簡単なやり方は、両足を肩幅に開いて立ち、両手を腰に当てて腰を右に左にと回転させます。これによって骨盤の歪みが矯正されるだけでなく、ダイエットにもなることが注目されています。

それは、腰を回すと骨盤内腔の筋肉が揺らされ、それに伴って腸間膜（腹腔内で腸管を包んでつり下げている膜）に蓄積している油脂も揺らされて代謝が刺激されるからです。それが、腸全体の脂肪の代謝、体全体の脂肪の代謝へと効果的に発展していくと考えられています。

じつは、**骨盤内腔の筋肉が鍛えられると、腰椎が守られて損傷しにくくなり、腰痛も起こりにくくなるという効果も期待できます。**

筋肉で腰痛を防ぐわけですから、「**筋肉コルセット**」をしたようなものです。

ただし、この体操には留意しなければならないことがあります。

骨盤周辺の筋肉を使って腰を回そうとすると、腹筋も使うため、お腹を緊張させ腹圧を高めたままで運動しやすいのです。それでは腹部の血流が低下し、蓄積している脂肪は代謝しにくくなります。これを防ぐには、腰を回すとき、腹筋を引き締める、緩めるをくり返すようにすることです。

筋肉にはアウターマッスルとインナーマッスルの区分があるとお話ししましたが、**骨盤体操よりも体への負担が少なく、骨盤内腔にある筋肉を中心にインナーマッスルを鍛えることができる運動**があります。私はこれを「**ゴキブリ体操**」「**グランドスイミング**」と呼んで、患者さんにもすすめています。

「ゴキブリ体操」についてはネーミングがどうかなと思いましたが、名前にインパクトがあり、体の動きがイメージしやすいと、患者さんには大好評です。テレビ番組で何度か紹介したこともあります。

この体操は室内で簡単にできますし、膝痛や腰痛があっても負担をかけずに運動することができます。

ゴキブリ体操

ゴキブリがひっくり返り、慌てて手足をもぞもぞ動かしているイメージ。体に負担をかけずにインナーマッスルを効果的に鍛えることができます。

1 床とかベッドに仰向けに寝転がる。

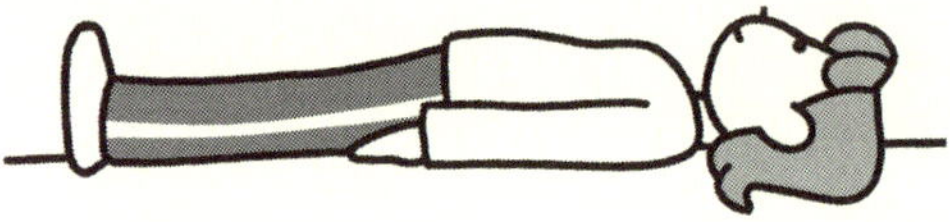

2 両足を上げ、交互に回転させる。自転車をこぐように動かすとやりやすい。同時に、両手は頭の上に持っていき、阿波踊りをするように動かす。

3 足と手を同時に動かすのが難しいと感じたら、まず足を動かすことに集中する。足がだるくなってきたところで、次は手を動かすことに集中する。手がだるくなったら、また足を動かすことに集中する。そうして足と手それぞれを10回くらいずつ動かす。

ポイント

可能なら頭を少し持ち上げて行なうとより筋肉が鍛えられます。

上級編

基本的には3まで行なえば十分効果が期待できる。まだ余力があるなら、次はベッドに仰向けに寝て、下半身をベッドから外す。手で上体を支えながら、自転車をこぐように脚を回転させる。10回くらいやって休み、余力があればまた10回とくり返す。

おまけ♪ゴキブリディスコ・ゴキブリサンバ♪

体の動きはゴキブリ体操と同じですが、ディスコやサンバの曲を流しながら行なうと、リズミカルに楽しく体を動かすことができます。昔、ディスコやサンバを体験したことがあるなら、そのときの楽しい情景を思い出しながら行なってみてください。

グランドスイミング

床やベッド、布団などの上に仰向けに寝て、平泳ぎの要領で手と足を動かす運動です。

1 仰向けに寝転がる。

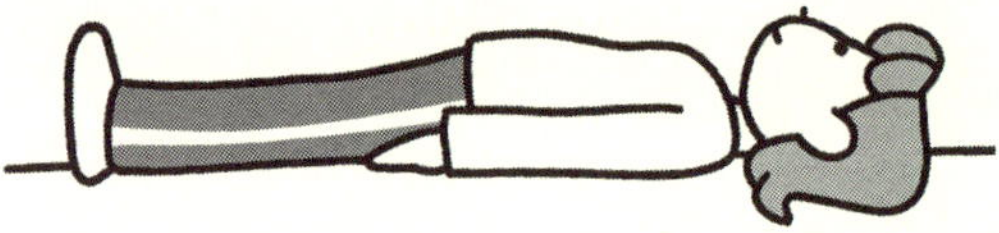

2 そのままの姿勢で平泳ぎをするように手と足をゆっくり動かす。両手は上から両脇に向かって大きく円を描くように回し、両足は少し外向きに開くように蹴ってから足を閉じ、膝を曲げながら上に引き上げる。

上から見た図

3 手よりも足の動きが大切なので、手と足を同時に動かすのが難しいときは、足の動きに集中する。

4 疲れたら、いったん休んでから再開する。朝と晩それぞれ、３０回くらいずつを目安に行なう。好きな音楽を流しながら行なうと楽しくできる。

ポイント

背中の下に座布団などを敷くと下半身を動かしやすくなります。

上級編

上から見た図

仰向け状態で一通り行なったあと、余力があるようなら腹ばいになって、仰向けのときと同じく平泳ぎをするように手と足を動かしてください。さらにインナーマッスルを鍛えることができ、アウターマッスルも鍛えることができます。その場合、胴体の下に座布団などを敷くとやりやすいです。

ふくらはぎの筋肉をつける
——つま先立ち運動

中高年になると、障害物や溝を飛び越えたりといった動作や、ふくらはぎを使うような運動をすることが少なくなって、ふくらはぎの筋肉はどうしても弱くなってしまいます。

ふくらはぎの筋肉を鍛えると、歩くのがリズミカルになりますし、小走りや、とっさのときの体の動きもよくなります。

そのためにおすすめしたいのが、つま先立ちをする運動です。社交ダンスをする人のふくらはぎの筋肉が強いのもつま先をよく使うからです。しかし、ふつうは中高年になると、つま先立ちをすることはほとんどないと思います。

つま先立ち運動は簡単にできて効果的にふくらはぎを鍛えることができる運動です。

つま先立ち運動

ちょっと立ち作業をするときなどにも、つま先立ち運動を取り入れてみましょう。

1 足を肩幅に広げて立ち、踵を上げてつま先で立つ。この状態を3秒ほど保ってから踵を落とす。このつま先立ちを10回ほどくり返す。つま先立ちするときは『母趾球／ぼしきゅう』（足裏の親指の付け根）に力を入れて足の力が小指側に逃げないようにする。踵はできるだけ真っ直ぐ上に上げる。

ポイント

踵、つま先を無理して上げると足がつってしまいます。できる範囲で上げてみましょう。

つま先上げたまま！

2 次は両足のつま先を上げて踵で立ち、その場で10回くらい足踏みをする。このとき、足の指先はできるだけ上に反らせるようにする。

3 1と2をセットにして、10セットほどくり返す。

4 最後に、つま先を前に伸ばして、収縮した筋肉を伸ばしておく。

体の軸を安定させ、歩く力を強化する

——片足立ち運動、両膝引き上げ運動、両膝横倒し運動

上半身と下半身は、主に大腰筋《だいようきん》と腸骨筋《ちょうこつきん》という深部筋（体の奥にある筋肉、インナーマッスル）によって結びつけられています。

これらは、ともに筋線維の短い筋肉ですが、大腰筋は背骨と足をつなげていて、腸骨筋は骨盤と足をつなげています。その働きによって、姿勢を維持して体の軸を安定させたり、歩くときに太腿を持ち上げたりできるのです。

中高年になってつまずいたり、転倒しやすくなったりするのは、これらの筋肉量の減少も関係しています。

大腰筋や腸骨筋を鍛えれば、体の軸を安定させ、歩く力を強化することができます。

そのためにおすすめしたい運動が、片足立ちになってバランスをとることです。たったこれだけのことで大腰筋や腸骨筋を鍛えることができます。

片足で立つくらい簡単にできそうですが、目を閉じてやってみると、意外に難しい

ものです。すぐに体がふらついてバランスを崩してしまう人は、大腰筋や腸骨筋が弱っている可能性があります。

片足立ち運動をくり返していると、これらの筋肉を効果的に鍛えることができます。きわめて簡単な運動ですが、継続しているとバランスを維持できる時間が長くなっていきます。

大腰筋と腸骨筋

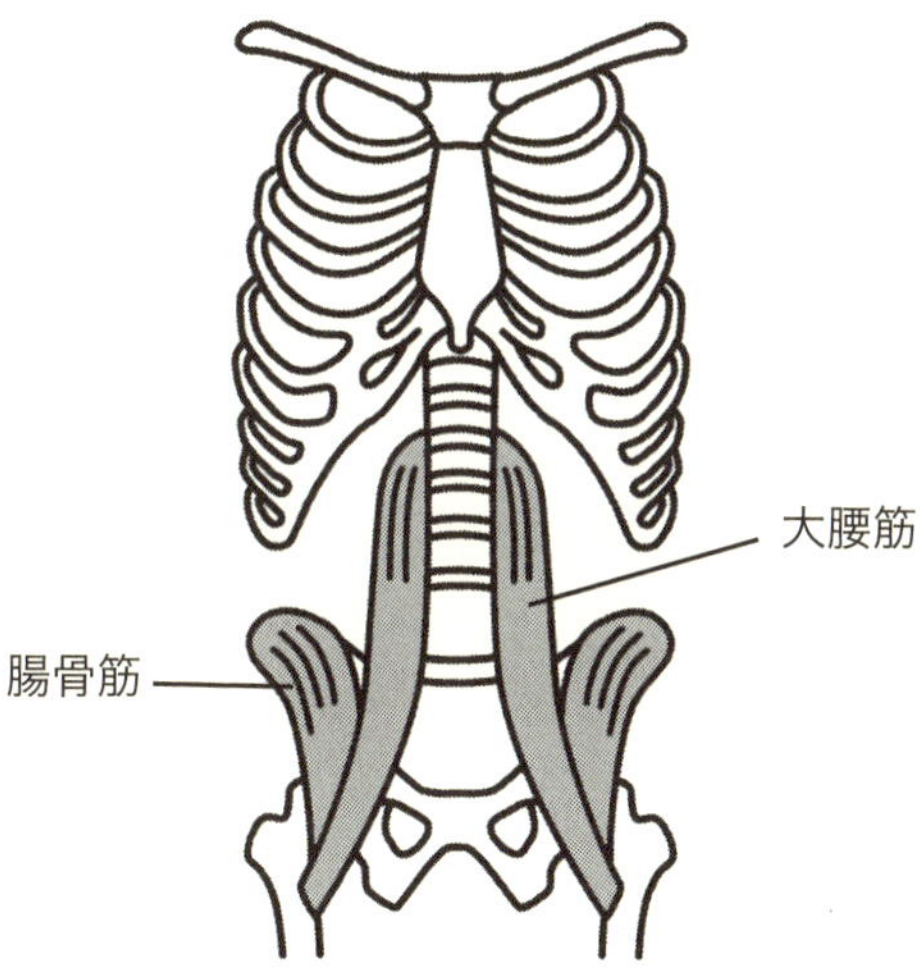

●大腰筋 …背骨と足をつなぐ筋肉
●腸骨筋 …骨盤と足をつなぐ筋肉

太ももを上げにくくなるため、つまずきやすく、転びやすくなる。高齢者が転倒して骨折する危険性が高くなる。大腰筋と腸骨筋の両方を合わせて腸腰筋とも呼ぶ。

片足立ち運動

最初はすぐに足をついてしまうかもしれませんが、継続して大腰筋と腸骨筋を鍛えましょう。

1 自然な姿勢で立って目を閉じ、左足を軽く上げて片足立ちになり、その状態をバランスが崩れるまで続ける。

2 次に右足を軽く上げて片足立ちになり、その状態をバランスが崩れるまで続ける。

3 両足を交互に 4、5 回ほどくり返す。

ポイント

慣れてきたら足を高く上げてチャレンジしてみましょう。

両膝引き上げ運動

大腰筋と腸骨筋をもっと重点的に鍛える運動です。仰向けに寝ることができる場所があれば、どこでも簡単に行なえます。

1 仰向けに寝てから、両膝をつけたまま軽く曲げて立てる。お腹をへこませて腰の下に空間ができないようにし、骨盤を下に押しつける。

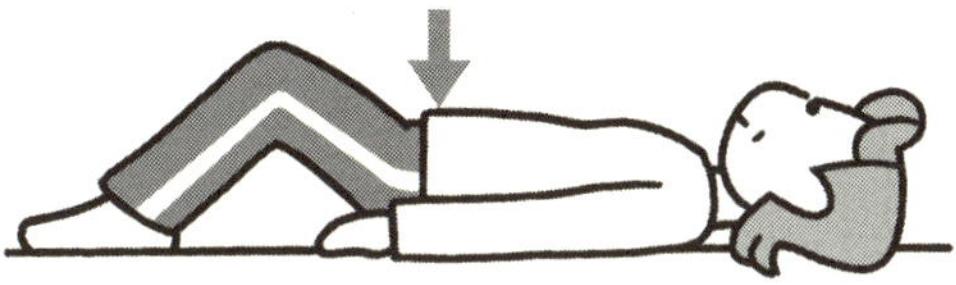

2 立てた両膝をそのまま胸の前にできるだけ引き寄せる。このとき脚の付け根から両膝を動かすようにする。

3 両膝を引き寄せたら１の状態に戻す（仰向けに寝て 膝を立てた状態)。

4 １から３までの動作を 10 回ほどくり返す。

ポイント

筋肉の動きを感じながらゆっくり両膝を胸まで引き寄せましょう。

両膝横倒し運動

これも、大腰筋と腸骨筋を重点的に鍛える運動です。

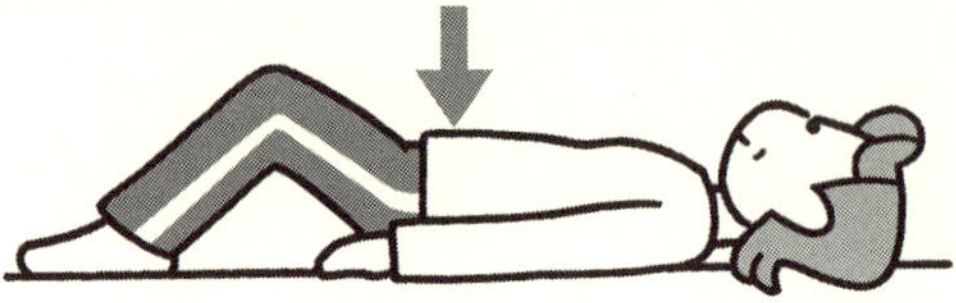

1 仰向けに寝てから、両膝をつけたまま軽く曲げて立てる。お腹をへこませて腰の下に空間ができないようにし、骨盤を下に押しつける。

2 両膝をできるだけくっつけたまま、右に倒していく。床に付かなくても倒せるところまで。

3 右に倒しきったら、できるだけ両膝をくっつけたまま元の位置に戻す。

上から見た図

4 同じようにして、今度は両膝を左に倒してから元の位置に戻す。

5 この運動を 10 回ほどくり返す。

上から見た図

上級編

慣れてきたら少しきついですが、足を浮かせて倒してみましょう。そうすると、大腰筋と腸骨筋だけでなく腹筋も鍛えられます。

腰に負担をかけず腹筋を鍛える
――中高年向き腹筋運動

腹筋といってもいくつか種類があります。

・**腹直筋**……胸の下部から下腹部にかけてお腹の中央を縦に走る腹筋
・**外腹斜筋**……左右の脇の下から斜め下方向に走る腹筋
・**内腹斜筋**……外腹斜筋のさらに内側にあって下腹部から斜め横下方向に走る腹筋
・**腹横筋**……内腹斜筋のさらに内側にあって肋骨部から骨盤部へと走る腹筋

腹筋を鍛える運動といえば、仰向けに寝た状態から上半身を垂直に起こし、再び仰向けに寝る腹筋運動をイメージされると思います。

この運動は、中高年者には腰への負担が大きいので、おすすめできません。

おすすめしたいのは、腰に負担をかけないで腹筋を鍛える運動です。

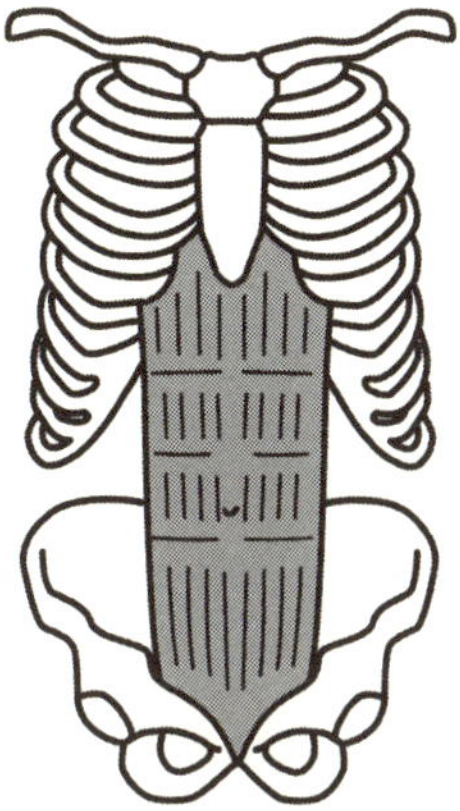

腹直筋

お腹の中央を縦に走る腹筋

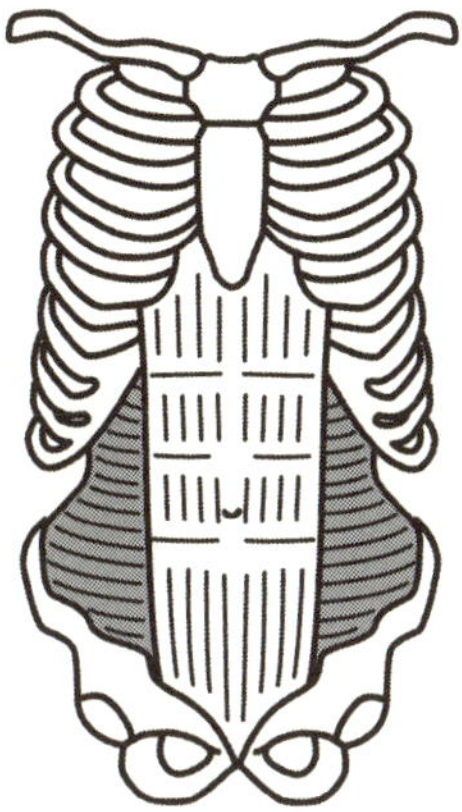

腹横筋

内腹斜筋のさらに内側にあって横に走る腹筋

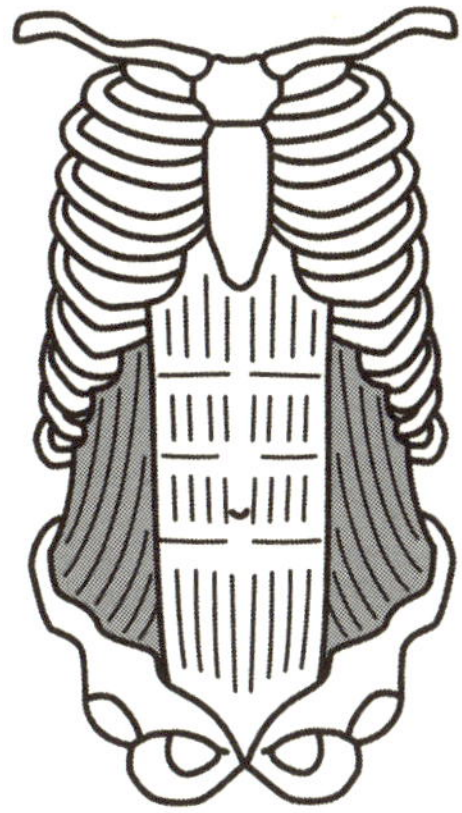

内腹斜筋

下腹部から斜め横下方向に走る筋肉

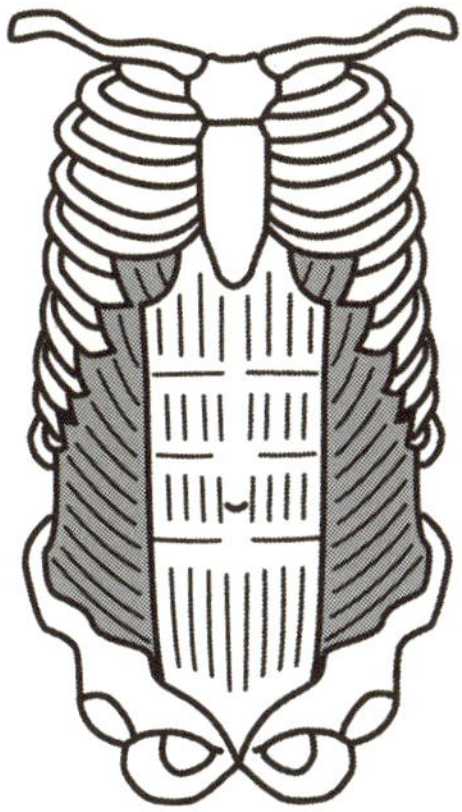

外腹斜筋

左右の脇の下から斜め下方向に走る筋肉

中高年向き腹筋運動

中高年者でも安心して腹筋を鍛えることができます。この運動は、大腰筋や腸骨筋を鍛える運動を応用したものです。

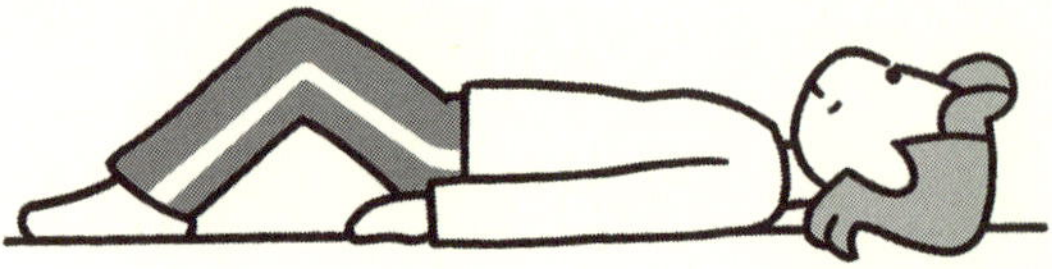

1 仰向けに寝て膝を立てる。両腕は伸ばして脇に置く。

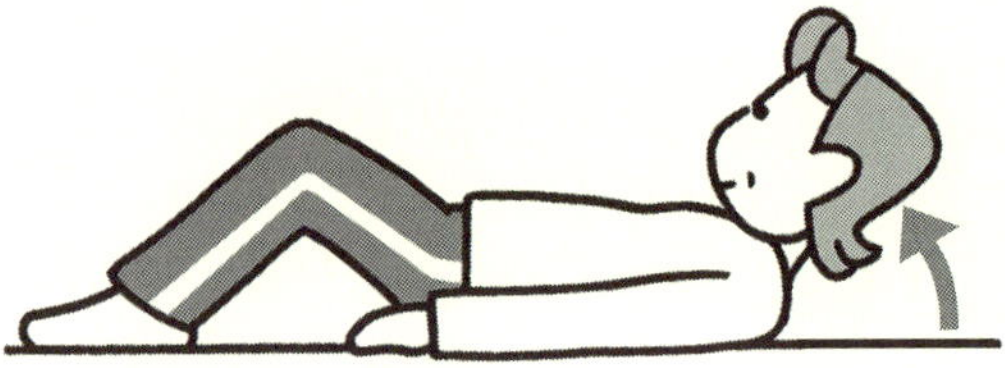

2 ヘソをのぞき込むようにして頭を持ち上げていき、できるだけ上げたら3秒ほどそのままにする。

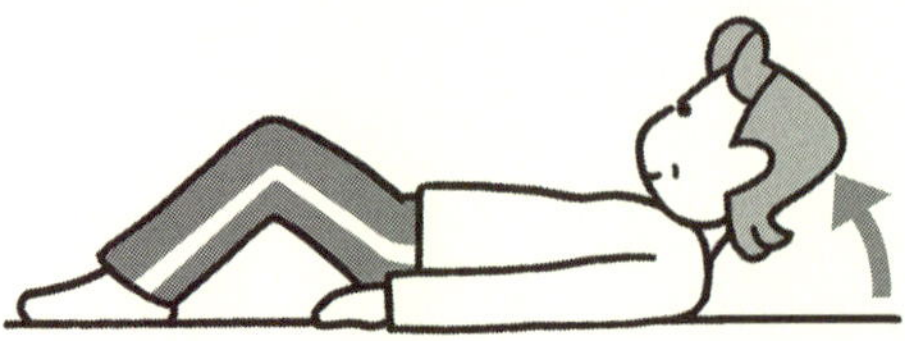

3 頭を元の位置に戻して、再び持ち上げる。この運動を5回ほどくり返す。

＊主に腹直筋が鍛えられる

上から見た図

4 次に1の状態から両膝を揃えて右に倒す。そのとき、両手を重ねて伸ばし、膝を倒した側とは反対の左腹の上に置く。その両手を覗き込むように頭を持ち上げる。

5 膝と両手と頭を元の位置に戻し、今度は両膝を左に倒しながら、両手は右腹の上に置き、それを覗き込むように頭を持ち上げる。

6 膝と両手と頭を元に戻す。

7 4から7までの運動を5回ほどくり返す。

＊主に外腹斜筋と腹横筋が鍛えられる。

ポイント

1〜3と4〜7を別々に行なってかまいませんが、1度に組み合わせたほうが腹筋全体をバランスよく鍛えることができます。

肩の筋肉を鍛える
——YMA体操

肩の関節を動かすにはいくつかの筋肉が働いていますが、なかでも三角筋は腕を前後左右上下といろんな方向に動かすために働いています。こうした肩の筋肉が衰えると、腕の動きが悪くなり、生活にもさまざまな不便が生じてきます。

ふつう肩の筋肉を鍛えるには、ダンベルを使った運動を行ないますが、これは中高年の体に負担がかかりすぎます。

そこで、私が患者さんにすすめているのが「YMA体操」という運動です。ヒット曲になった『YOUNG MAN』に合わせて「Y」「M」「C」「A」の四文字を全身で表現する振付を連想されるかもしれませんが、これは「Y」「M」「A」の三文字を描くように腕を動かす運動です。

YMA体操

両手を上げて三文字を描くように動かすことで、肩の周辺の筋肉を無理なく鍛えることができます。

1 両手を頭の上に上げて、まずY字の形になるように斜め上に向けて伸ばす。

2 次に両手の指先を頭の上に付け、肘をできるだけ上に突き出すようにしてM字の形になるようにする。

3 次は、両手の指先を付けながらできるだけ上に伸ばし、A字の形になるようにする。

4 ここまでの動作を1セットとして、10セットくり返す。

ポイント

座って行なってもいいです。立つ場合は、足を肩幅に広げて立ちます。腕はできるだけピンと伸ばしましょう。

腕の筋肉を鍛える
——中高年向き腕立て伏せ運動

腕の筋肉を鍛える運動といえば腕立て伏せです。若いころは何回でもできたからといって、そのころの感覚で無理に腕立て伏せをすると、腰を痛める心配があります。そこでおすすめしたいのが両手と両膝を床につけて行なう中高年向きの腕立て伏せ運動です。

両膝を床につけることによって、何より腰への負担が少なくなります。その分、腕にかかる負荷も軽くなりますが、その姿勢で腕立て伏せを行なっても、十分、腕の筋肉を鍛えることができます。

中高年向き腕立て伏せ運動

無理なく腕の筋肉を鍛えることができます。

1 両膝と両手を床につけて四つん這いになる。両手は肩幅に開く。

2 両膝はそのままで、両肘を曲げて上半身を下げる。

3 両肘を伸ばして元の姿勢に戻る。

4 最初はこれを10回を目標に行なう。慣れてきたら、20回、30回と増やしていく。

ポイント

腕をきちんと曲げるように意識しましょう。

背中の筋肉を鍛える
——バッククロスアーチ、仮想ボール抱え込み運動

背筋とは、広背筋《こうはいきん》や脊柱起立筋《せきちゅうきりつきん》など、背中にある筋肉を総称したものです。正しい姿勢を保ち、体全体のバランスをとる働きをしています。

ただ、腹筋と違って体の背面にあるため、ふだんは意識することが少なく、使うことも少ないため、筋肉量は減っていきやすいのです。

この背筋を鍛えるには、ダンベルやバランスボールなどを使った運動がありますが、中高年向きではありません。

体への負担を少なくして背筋を鍛える中高年向きの運動として、「バッククロスアーチ」と「仮想ボール抱え込み運動」があります。

バッククロスアーチ

四つん這いになれる場所さえあれば、どこでも行なうことができます。簡単にできて、気分転換にもなります。

1 両手、両膝を床につけて四つん這いになる。

2 右手を床に平行になるように前方へ真っ直ぐ伸ばし、左足を床に平行に後方に真っ直ぐ伸ばす。この姿勢を５秒くらい続けてから手足を下ろす。

3 今度は左手を前方に、右足を後方に同様に伸ばす。

4 2と3を最初は1回でも2回でもできるところまで行なう。体が慣れてくるにつれて回数を増やしていく。5回くらいが目安。

ポイント

なるべく一直線に近くなるように手足を伸ばしてみましょう。

仮想ボール抱え込み運動

広背筋を効果的に鍛えられるので、腕をスムーズに動かせるようになります。

1 立った姿勢で、大きなボールを抱えるように両腕を広げて背中の筋肉を伸ばす。このとき、目線は自分のヘソに。

2 背中の筋肉が十分伸びたと感じたところで止め、５秒ほどその姿勢を続ける。

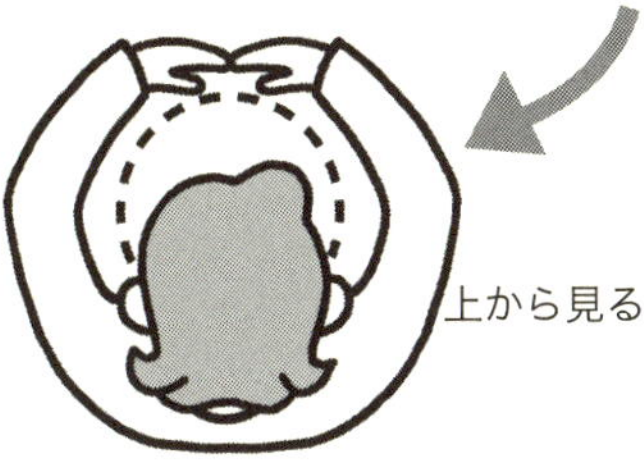

上から見ると

3 元の姿勢に戻す。同じ動作を５回ほどくり返す。

ポイント
できるだけ大きなボールをイメージしながら行なうと、左右の肩甲骨が開き、背中の筋肉が伸びます。

ふだん使わない筋肉を同時に鍛える
——体反転運動、体持ち上げ運動

大腰筋や腸骨筋、腕の筋肉、背中の筋肉など、それぞれの筋肉を鍛える運動をご紹介しました。これらの筋肉は、中高年になるととくにふだんの生活ではあまり使わないため、気づいたらガクンと衰えていることが多いのです。

このふだんあまり使わない筋肉を全体的に鍛えられる運動を二つ紹介します。「**体反転運動**」と「**体持ち上げ運動**」です。

居間や寝室など、寝転がれる広さがあるところならどこでもできます。動きも簡単でたくさんの筋肉を効果的に鍛えることができます。

体反転運動

この運動は派手さのない地味な運動ですが、大腰筋、腸骨筋、背中の筋肉、腕の筋肉を着実に鍛えることができます。

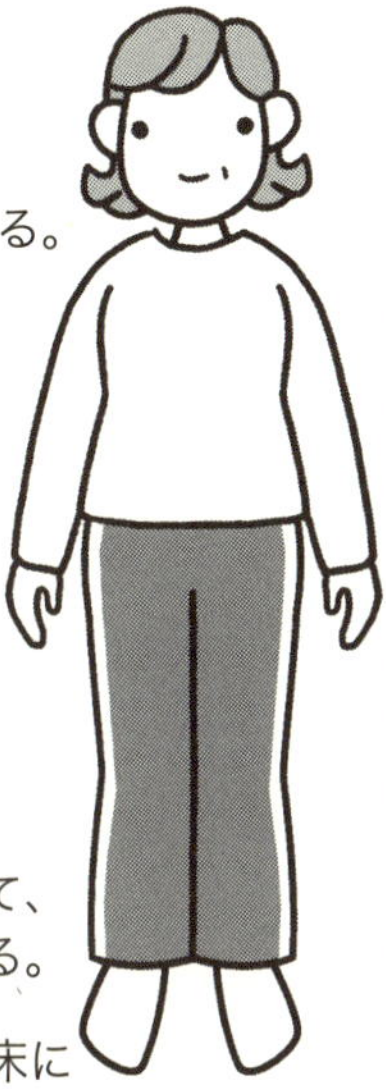

1 床に仰向けになる。

2 体を反転させて、うつ伏せになる。

3 両膝と両手を床につけて四つん這いになる。

4 再びうつ伏せになり、体を反転させて仰向けになる。

5 1から4を5〜10回くりかえす。
一つひとつのポーズは3〜5秒ずつ続ける。

ポイント
一つひとつの動作は筋肉を意識しながらキッチリと！

体持ち上げ運動

少しきついかもしれませんが、ふだん使わない筋肉を同時に鍛えることができます。

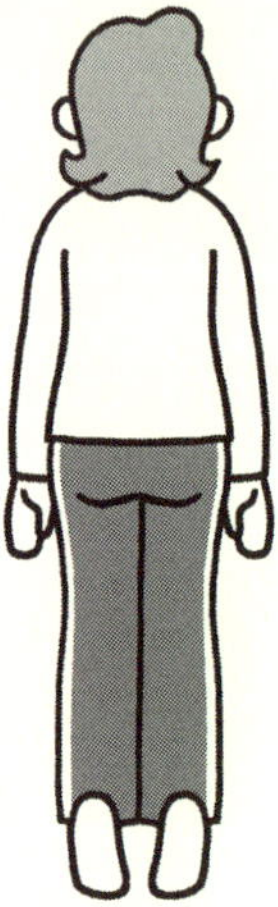

1 床にうつ伏せになる。

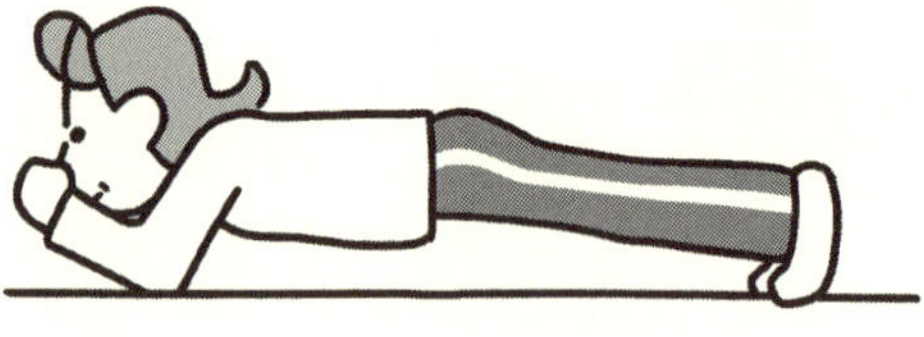

2 両肘とつま先で体を支えるようにして持ち上げる。

3 そのポーズを３秒から５秒続けてから、再び床にうつ伏せになる。

4 １から３までの動作を５回くらいくり返す。慣れてくるにしたがって両肘とつま先で体を持ち上げたポーズを 10 秒、20 秒と増やしていく。１分くらいを目標にする。

5 ２の姿勢で、右足を脚の付け根からゆっくり持ち上げる。右足が床から 10 センチくらいになるまで上げ、そのまま３～５秒維持する。

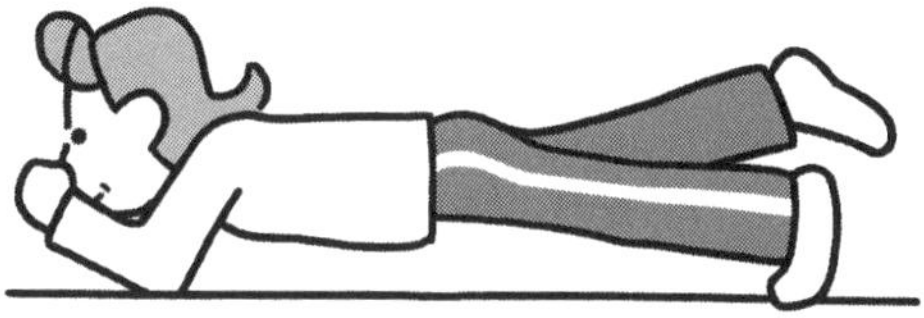

6 そのあと右足を床に下ろし、次は左足を持ち上げて３～５秒維持したあと、床に下ろす。

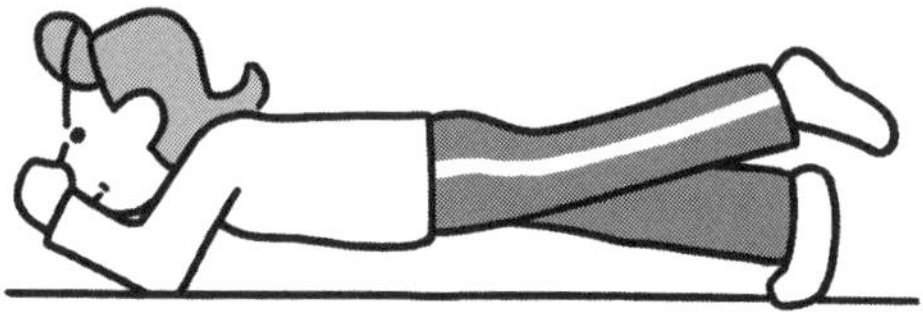

7 ５と６を５回くらいくり返す。足を持ち上げている時間は慣れるにしたがって、１分間くらいまで伸ばしていく。

ポイント

足はなるべく真っすぐ伸ばしたまま上げましょう。

Ⅳ

六〇歳から身につけたい
体にいい運動習慣

運動習慣のある人ほど健康で長生きする

「最近、体を動かしていますか？」

私は診察室で、患者さんによくこのような声をかけます。とくに血圧が安定しない人や血糖のコントロールがなかなかうまくできない人には、運動する習慣のないことが多いからです。

運動と寿命の関係を、次の三つのグループに分けて調べたおもしろい調査があります。

①大学のスポーツクラブの出身で、その後も何かの運動を続けている
②大学で医学を学び、健康について詳しい知識があるが運動はしていない
③運動しない一般の人

追跡調査の結果、五〇～七〇歳では①がいちばん長生きで、次に②③の順でした。

七〇歳以上についても、①がトップでしたが、興味深いことに②③の順位は入れ替わっていました。それは「医者の不養生」を文字どおり表わしているようで、私も肝に銘じておかなければなりません。つまり、いくら健康の知識があっても、それを実践しなければ何にもならないということでしょう。

ここでお伝えしたいのは、そのことではありません。どちらの調査でも、①のスポーツを続けているグループが、断然トップだったということです。この結果は、**健康維持と長生きには、運動が欠かせないものであることを裏付けています。**

宇宙飛行士の体に起こった「廃用障害《はいようしょうがい》」

いままでは宇宙での「筋トレ」は常識になっていますが、初期の飛行士の多くは、宇宙船に長く滞在するほど筋肉が萎縮《いしゅく》してしまいました。無重力状態では、地上にいるときのように重力に逆らって体を動かす必要がなかったからです。

医学では、**体の組織が使われないままだと起こる異常を「廃用障害」**と呼んでいますが、宇宙飛行士の筋肉に起きた廃用障害は、骨格筋だけではありませんでした。心筋まで小さく縮んでしまっていたのです。

骨にも異変が起こっていました。カルシウムが溶け出し、もろくなっていたのです。いわゆる骨粗鬆症です。飛行士のなかには、骨のカルシウムがなんと二〇%も減少しているケースさえありました。

骨に力が加わらない状態に居続けると、私たちの体は骨の強度がさほど必要ないと判断し、「余分なカルシウム」を溶かして尿や便と一緒に排泄してしまうのです。飛行士には若くて健康な人が選ばれていましたが、それでも元の頑丈な骨に戻るまでに何年もかかったそうです。

「廃用障害」は、宇宙飛行士のみならず、地上で重力の中で生活している私たちにも起こり得ることです。

便利な生活が「廃用障害」を招き寄せる

運動量が減少して、負荷がかからないままの体の組織には、宇宙飛行士と同じような「廃用障害」が起こります。

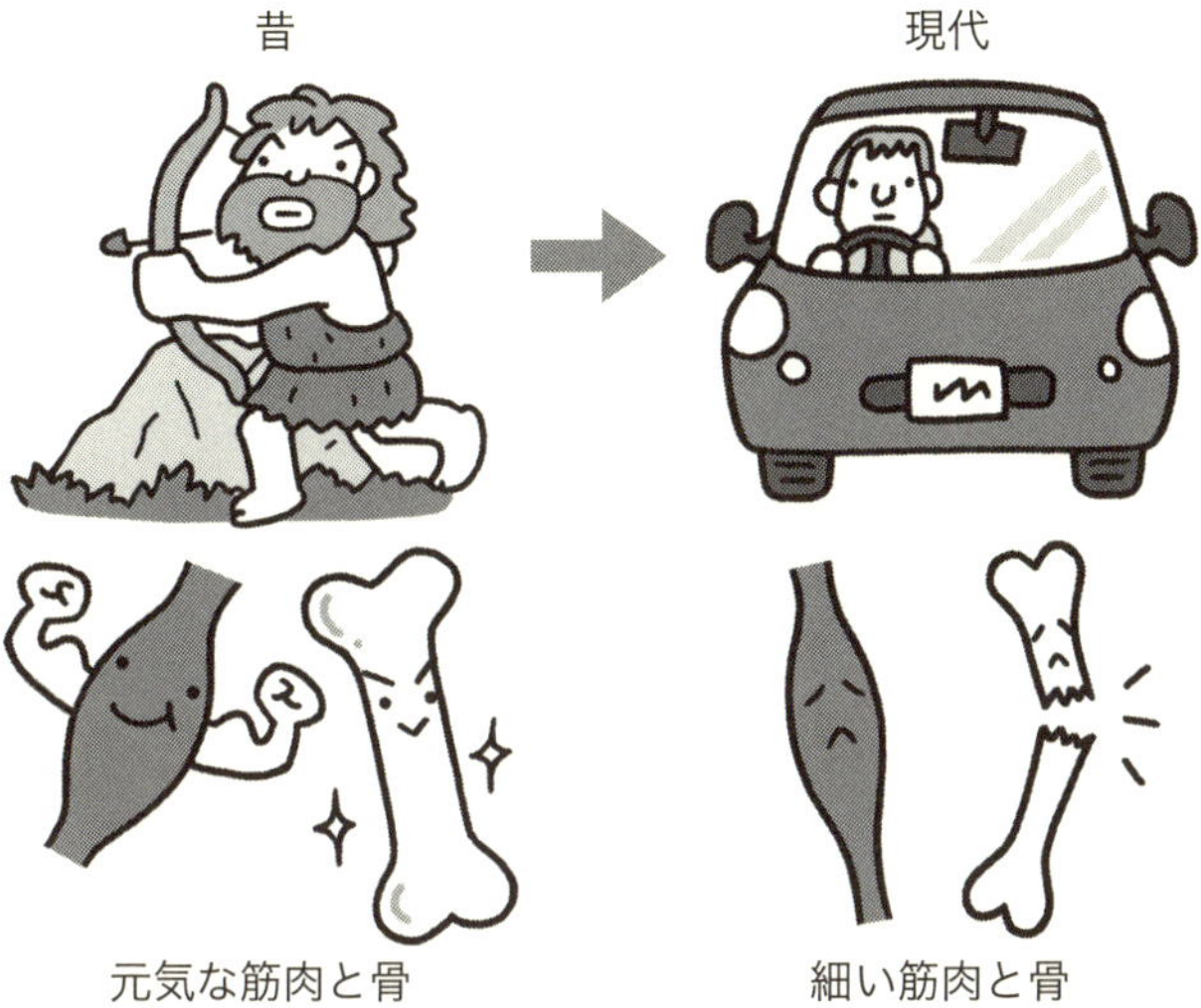

たとえば寝たきりの患者さんの筋肉は、どんどん萎縮し、脚はどんどん細くなっていきます。関節も硬直し、自由に動かなくなります。

循環系、呼吸系から神経系まで、必要性が薄れるにしたがって働きが鈍くなっていきます。新陳代謝も衰えてきます。

動物の仲間である私たち人間の生きる基本は動き回ることですが、皮肉なことに、文明の進歩はそのことから私たちを遠ざけてしまいました。

人類史上、そのほとんどの期間、私たち人間は、獣を追って野山を走り、歩いて木の実を探すなど、生きるために否応なく体を動かさねばならない状況に置かれていました。もちろん、肥満や糖尿病、動脈硬化などとは無縁だったにちがいありません。

それが、とくにここ一、二世紀の間に、極端にいえば、ほとんど体を動かさなくても生きていくことができるようになったのです。長い時間机に向かったり、テレビや電子機器の前に座ったりする人はますます増え続けています。

外に出かけるにしても、歩く距離はどんどん短くなり、すぐ電車やバス、自動車に乗ってしまいます。長距離の移動ともなれば、歩くことなどありえず、新幹線や飛行機に乗ります。

私たち人間は文明社会に暮らすほど、動きまわる生き物であることを忘れていくようです。

さすがに宇宙船での飛行士の暮らしは、誰が見ても体に不自然だと感じるでしょうが、私たちの生活も、動物本来のあり方からすると、じつはとても不自然になっています。

便利なはずの生活が、筋肉量の減少を招き、老化を加速化し、生活習慣病を招き寄せることにもなっているのです。

運動にはこんなにたくさんの健康効果がある

現代人の暮らしがどんなに体の運動を奪うものであったとしても、せっかく手に入れた便利さを捨ててまで昔の状態に戻ることはできないでしょう。必要なのは、体の健康に運動が不可欠であることを理解し、それを取り戻す工夫をすることです。

失ってみてはじめてありがたみがわかるのは親の存在だったり、お金だったりしますが、健康もそうです。病気になり、体を自由に動かせなくなってはじめて、そのありがたみが実感できます。でも、それでは悲しいかな、すでに時遅しということでもあります。

そうならないためには、運動の健康効果をはっきりと確認しておくことが必要です。私の医療体験では、主に次のような健康効果が期待できます。

①サイクリックAMPが増加し、体内の糖分が消費されやすくなる

最近の研究で、脂肪分解酵素を活性化させる細胞内の活性物質としてサイクリック

ＡＭＰが注目されています。運動をすると、この物質が増加し、体内に蓄積された栄養分がエネルギーとして消費されやすくなります。こうしたサイクリックＡＭＰの働きからも運動が肥満の予防や解消に効果的であることがわかります。

運動量としては、一度に少なくとも一〇分以上継続して体を動かすのが効果的です。それは、血液中の糖が消費されるのに、そして体脂肪が溶け出してエネルギー源として使用されるのに、それくらいの時間が必要だからです。

②全身の血管が丈夫になる

動脈も静脈も血管の内壁は血管内皮細胞と呼ばれる細胞で構成されています。この細胞をひとかたまりにすると、肝臓よりも大きいかたまりになるといわれます。

血管内皮細胞はサイトカインという情報伝達物質を出して、さまざまなホルモンの働きや炎症反応に関与し、体の健康もコントロールしているようです。

ところが、動脈硬化や静脈瘤、静脈血栓などによって血管内壁にヘドロ（ゴミタンパク）が付着すると、血流が悪くなるだけでなく、血管内皮細胞の働きも低下してしまいます。

運動をすると、血管のヘドロが掃除されますし、血管細胞内にサイクリックＡＭＰ

が増加して、細胞が活性化されます。

③心筋が強化され血流が強くなる

心筋梗塞で問題になる心臓の冠動脈へ流れ込む血液量は、脈拍数が安静時の一・五倍くらいになる運動で心筋がよく働き、いちばん多くなるといわれています。

それぐらいの運動をすると心臓を動かす心筋も鍛えられ、血流も強くなるでしょう。

④呼吸筋が鍛えられ肺が強くなる

運動することにより、肺のまわりにある呼吸筋が鍛えられ、肺活量が増大します。肺そのものも鍛えられて、強く大きくなります。

⑤糖尿病の予防・改善効果がある

糖尿病は、血液中の糖を細胞へ運ぶインスリンが不足したり、十分に作用しなかったりすることで起こる病気です。

運動をしていると、筋肉組織のインスリン感受性が改善し、筋肉はエネルギー源である糖を積極的に取り込んで効率的にエネルギーに変えます。それにより、インスリンへの依存性が低下して、インスリンをつくる膵臓のβ細胞の負担も低減できます。

しかもこの状態は、運動をした日の翌日までそのまま続きます。隔日に運動をしていても、糖尿病の予防、改善効果は期待できるのです。

⑥血圧を低下させる

体に合った運動をしていると、血管が拡張して血圧はいったん高まりますが、運動後は血圧が前より下がって安定します。運動は、高血圧の治療にも有効なのです。

⑦貧血を改善する

運動は骨髄の造血作用を増大させるので、貧血が改善されます。

⑧ストレスを解消する

ストレスは交感神経の緊張状態が続くことで蓄積されていきます。運動して筋肉を動かすと、その緊張が解けストレスが軽減して活性酸素の発生も減りますし、自律神経のバランスも修正されます。私は、これにもサイクリックＡＭＰが関与していると考えています。

☆コラム　サイクリックAMPが増加すると細胞が活性化

私が医学博士号を取得したときの研究テーマは「サイクリックＡＭＰと体細胞」でしたが、このことが最近ようやく話題になってきています。

私の研究では、電気治療による理学療法（電気理学療法）により体は安静状態ですが、筋肉は医療機器によって運動させられている状態をつくると、体内のサイクリックＡＭＰが増加し、臓器や筋肉、骨格などの細胞が活性化することが明らかになりました。

最近の研究では、サイクリックＡＭＰの増加により細胞の新陳代謝が高まり、有害物質の排泄が促進され、生命維持に必要な体内物質の産生が活発になることも確認されています。

サイクリックＡＭＰは薬物によって増やすことができ、血小板の異常凝集が少なくなり、それによって血栓が取り除かれたという報告も多くなっています。

サイクリックＡＭＰは運動によっても大きくなります。この点でも運動の健康効果は明らかです。

運動は本人の努力でできる自立した健康法

私は患者さんの顔を見ると、「歳をとるほど若返ってください」という言葉をかけることがあります。ちょっと変な表現ですが、こんな思いを込めています。たくさんの患者さんと接していますと、生きいきとしていて治りが早く、若返っていくような感じさえする方がいます。

そんな患者さんに共通しているのが心意気です。もう年だからとあきらめていないし、何事にも前向きです。できるだけ自分で健康を維持しようと努力しておられます。医者として観察していても、薬の効き目がいいし、病気の治りも早いのです。

現代医療は進歩していますが、だからといって医療や健康保険制度、介護保険制度を主役にすべきではありません。あくまで患者さんの自立を健康面で補助する側なのです。主役は患者さん自身です。

自分の体に合った運動を選び、筋肉量の減少を抑えて老化防止を心がけることは、まさしく、こうした医療の方向と一致しています。

運動は健康にいい生活習慣をつくる

病気になったり怪我をしたりしてはじめて、

「自分の体が正常に機能することがけっして当たり前のことではないことに気づいた」

こうおっしゃる患者さんがよくいます。

私たちは普段、胃の存在などすっかり忘れていますが、胃炎になったり胃潰瘍《いかいよう》になったりしたとき、その痛みとともに胃の存在を意識します。

その意味では、体のことを忘れていられる状態が健康であるともいえますが、その分、体の異変が表面化するまで気づかずに過ごしているともいえます。そのリスクは中高年になるほど高くなります。

私は、若いころは呼吸器系、とくに肺ガンと喘息《ぜんそく》を専門に研究していました。そのころ、なぜ肺ガンになったのか、なぜ喘息が治らないのかを調べていくうちに、共通の原因があることに気づきました。それは「生活習慣の悪さ」、いわゆる不摂生です。

今日でこそ「成人病」の多くは「生活習慣病」と呼ばれるようになりましたが、当時は、まだ「生活習慣」に対する意識は低く、本気で警鐘を鳴らす医師も少数でした。

健康にいい生活習慣かどうかをチェックするポイントは「運動」「食事」「心」「生活全体のリズム」の四つです。とくに中高年期になるほど軽視されがちなのが「運動」と「食事」です。

運動は自律神経を安定させる

運動をすると心拍数が上がり、汗をかいて放熱します。これは交感神経の働きです。運動終了後、疲れた体を修復するのは、副交感神経の働きです。

自分の体に合った運動をすると、この二つの神経の切り替えがうまくいき、自律神経のバランスがよくなります。

私は三〇年前から、この自律神経のバランスとともに、ホルモンの分泌、免疫の働きの三つを安定させることが健康の基本であると唱えていますが、そのためにも運動することはとても効果的です。

運動は骨の劣化も防ぐ

「年を取ると背が低くなる」といわれます。それは骨が劣化し、椎間板がつぶれるからですが、年を取るにつれて運動量が減少していることも関係しています。

宇宙飛行士の「廃用障害」として骨の劣化が起こったように、骨は重力による負荷がかかると、それに耐えられるようにカルシウムやコラーゲン線維の量を増やします。その結果、骨は強くなります。

地上で生活していれば、それだけで骨に重力の負荷がかかっていますが、運動をすることでさらに大きな負荷がかかると、骨はもっと強くなります。

とくに中高年になると、骨の劣化は進みやすいので、歩くこと、運動をすることで骨を強くするよう心がける必要があります。

もちろん、体調によっては運動できないことがありますし、運動自体が負担になってしまうこともあるでしょう。

そこで私がおすすめしているのが「コツコツ骨叩き」です。

コツコツ骨叩きによる骨塩量の変化

(薬剤投与しながら左前腕橈骨《とうこつ》を六ヵ月間コツコツ骨叩きを継続、それぞれ男女30人の六ヵ月後の統計、周東寛、2010)

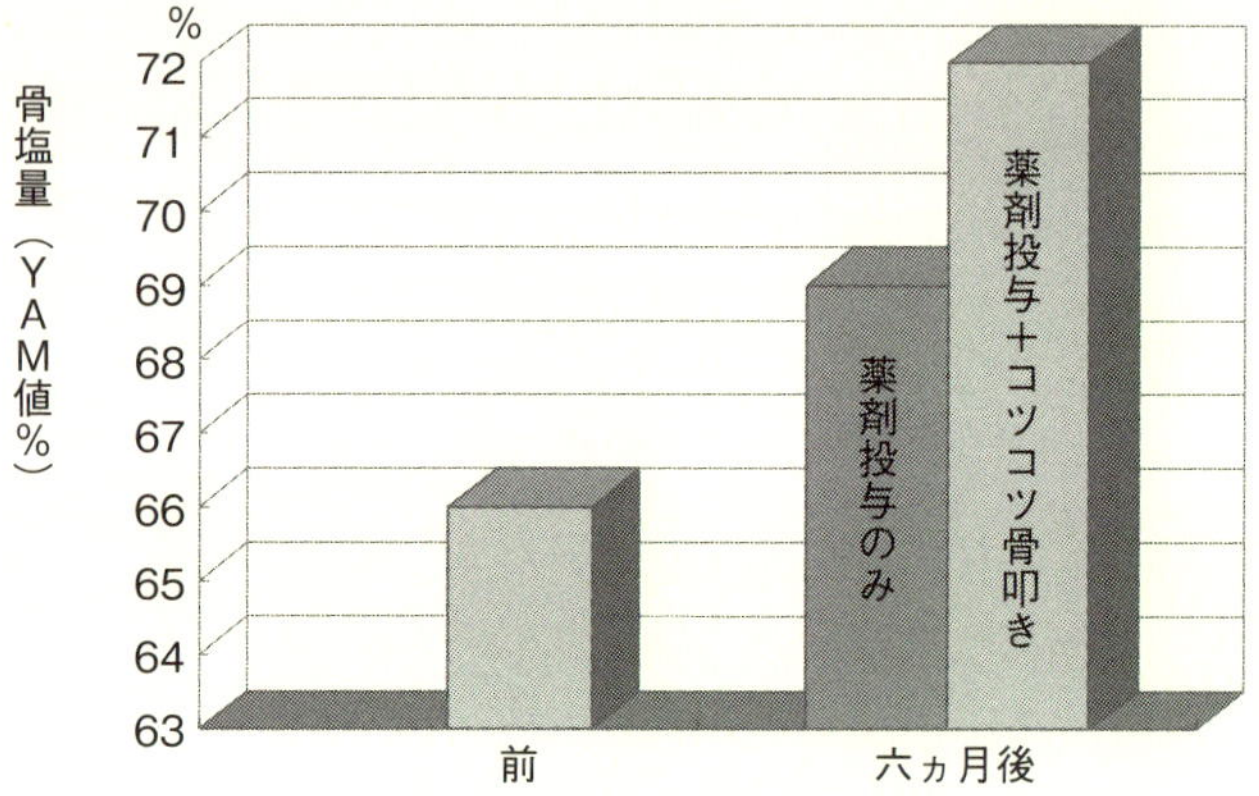

骨は適度の刺激を与えられると、骨の中の血流量が増え、栄養や酸素が行き渡りやすくなります。やり方はとても簡単です。自分で骨を軽くリズミカルに、まんべんなく、すみずみまで叩くだけです。何かの合間など、気づいたら腕とか肩とか一部だけ叩くのもいいでしょう。

「コツコツ骨叩き」を行なった人と行なわなかった人の骨量検査を行なったことがあります。データを比較すると、上図にあるように明らかな差が認められました。その結果はすでに研究発表もしています。

コツコツ骨叩き

適度な刺激は骨の強度を高めます。運動できないときなどにやってみましょう。

1 立ったままでも、椅子や床に座ったままでもかまいません。頭、肩、腕、胸、腰、脚の骨の部分を順番に拳で軽くリズミカルにコツコツと叩いていく。同じ部位を 30 回ずつ、１日に２〜３回行なう。

2 時間が取れるときは全身をまんべんなく叩く。仕事の合間などちょっとした時間に、手の届く範囲の骨の部分をコツコツと叩いてもよい。

ポイント

骨折しやすい大腿骨と前腕部は重点的に叩きましょう。机の上に手を置いて叩くとより効果的。

運動すると呼吸が深くなる

呼吸というと、肺自体が膨らんだり、縮んだりすることで行なわれているようなイメージがありますが、そうではありません。横隔膜を中心に肺を囲む呼吸筋（外肋間《がいろっかん》筋《きん》や肋軟骨間筋《ろくなんこつかんきん》、内肋間筋《ないろっかんきん》、肋骨挙筋《ろっこつきょきん》など）の伸縮によって、肺に空気を出し入れしているのです。

横隔膜の下にはいくつかの内臓がありますが、息を吸うために横隔膜を下げると、横隔膜の下にある内臓は前に押し出されます。息を吸ったときに、お腹が出っ張るのは、そのためです。

この横隔膜を十分に使って呼吸をするのが「腹式呼吸」ですが、その呼び名から、呼吸をしたときにお腹にも空気が入るかのようなイメージがあります。しかし、そのようなことはありません。横隔膜が下がることで内臓が前に押し出されるため、あたかもお腹に空気が入ったかのように見えるだけです。

その意味では「横隔膜呼吸」と呼んだほうがいいかもしれません。横隔膜がしっかり動くと深くていい呼吸ができます。

運動量が減少すると呼吸が浅くなるのは、体を動かさないでいると胸郭が硬くなり、横隔膜が動きづらくなって、たっぷり息を吸い込むことができなくなるからです。運動をして胸郭を柔らかくし、横隔膜が動きやすくしておくことも大事なのです。

胸郭の柔らかさを知る方法は簡単です。鳩尾《みぞおち》の高さでメジャーを水平に体に巻き、息を吸ったときと吐いたときの差を測ります。その差が四センチから五センチあれば、胸に柔軟性があり、横隔膜呼吸がしっかりできています。

その差が三センチから四センチならば、少し胸郭が硬くなっていて、やや呼吸が浅くなっているかもしれません。

その差が三センチ以下だと、胸郭はかなり硬くなっていて、息苦しさを感じている可能性が高いかもしれません。

胸郭を柔らかくして横隔膜を動きやすくすると、深くていい呼吸ができるようになります。そのために、簡単にできる運動があります。

胸郭緩和運動

上体を動かして胸郭を柔らかくする運動です。呼吸しやすくなります。さらに、腹筋を意識した運動を組み合わせると横隔膜の動きを刺激することもできます。

1 足を肩幅に広げて立つ。

2 肩を上げたり下げたりを 10 回ほどくり返す。

3 次に、前を向いたままの姿勢で上体を左側にできるだけ倒してから元に戻す。

4 今度は上体を右側にできるだけ倒してから元に戻す。

5 3と4を交互に10回ずつくり返す。

6 1の姿勢で、3秒間息を吸い、9秒間息を吐き出す。息を吐くときは「は、は、は……」と腹筋を使って吐き出していく。腹筋が背骨にくっつくまで吐くイメージで。

ポイント

息を吸うときはなるべくお腹をふくらませ、吐くときはできるだけお腹を引っ込ませましょう。

体に合った運動はいい睡眠につながる

中高年の方から、こんな悩みを相談されることがよくあります。

「布団に横になっても、ぐっすり眠れない」

「朝早く目が覚めてしまい、睡眠時間が短くなった」

これには、日中の運動が密接に関係しています。

数は多くないでしょうが、年を取ってもよく眠れるという人がいます。そんな人に共通しているのが、運動をする習慣があること、仕事でよく体を使っていることです。

昔と比べて精神的疲労が大きい割に体を動かすことが少ないのが現代人の特徴です。よく運動をして精神的疲労と肉体的疲労のバランスを調えると眠りやすくなります。

しかも運動をすると、血行がよくなり体の末端にまで酸素と栄養が行き渡り、すべての臓器が活発に活動するようになります。こうした臓器の運動も夜の質のよい睡眠を促してくれます。

夜のいい睡眠は日中のいい運動につながります。日中のいい運動と夜のいい睡眠のサイクルは中高年になるほど健康の基本になります。年を取ると、日中大した運動もしないから、睡眠も大して必要ないと言う患者さんがいますが、まったく反対です。昼間の活動で疲れを感じるのは、細胞の老廃物で体液が酸性化し、細胞の活力が失われるからです。その疲れを取り除いてくれるのが眠りという疲労回復剤ですが、しっかり眠れないまま疲れた状態にしておくと、病気体質になっていきます。

疲労回復だけでなく、眠りにはたくさんの健康効果もあります。

睡眠中に昼間の高い血圧で傷ついた血管が修復され、補強されます。

栄養の吸収も、昼間より夜眠っているときのほうが活発です。

皮膚の細胞代謝も夜の間に行なわれます。

睡眠中に副交感神経が活発になり、心身の緊張をほぐしてくれます。

体内に侵入した病原菌やガン細胞などを排除する免疫機能が高まるのも睡眠中です。

病気のときに、たくさん睡眠をとらなければならないのは、そのためです。

睡眠中に活発に分泌される成長ホルモンは、育ち盛りの子どもに大切であるだけでなく、老化を防ぐためにも必要であることは先述したとおりです。

健康づくりの基本として、いい運動といい睡眠のサイクルを心がけましょう。

☆コラム　眠りを妨げるイビキ、無呼吸症候群の原因

舌根部正常図と舌根沈下図

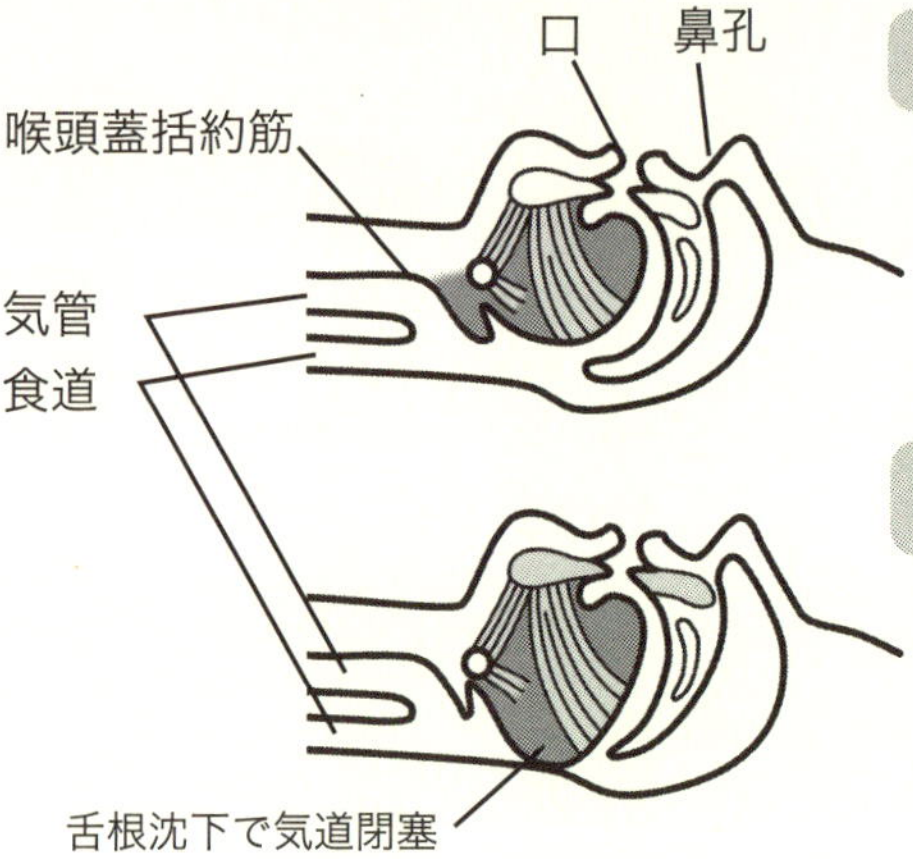

鼻腔《びくう》、口腔《こうくう》、咽頭のいずれかに異常があってもイビキをかきやすくなりますが、私は、とくに舌根筋群に注目しています。

仰向けに寝ると、咽喉《のど》の筋肉が弛み、舌は後方に沈みます（舌根沈下）。それでも、気道を塞がないのは、舌根筋群が舌体を支え、喉頭蓋括約筋《こうとうがいかつやくきん》が舌体を持ち上げているからだと思われます。

ところが、これらの筋肉内に脂肪が蓄積されると、舌体を持ち上げる筋力が弱くなって気道が狭まるため、イビキをかくようになります。さらに状態が悪くなると、睡眠時無呼吸症候群も起こってきます。

舌

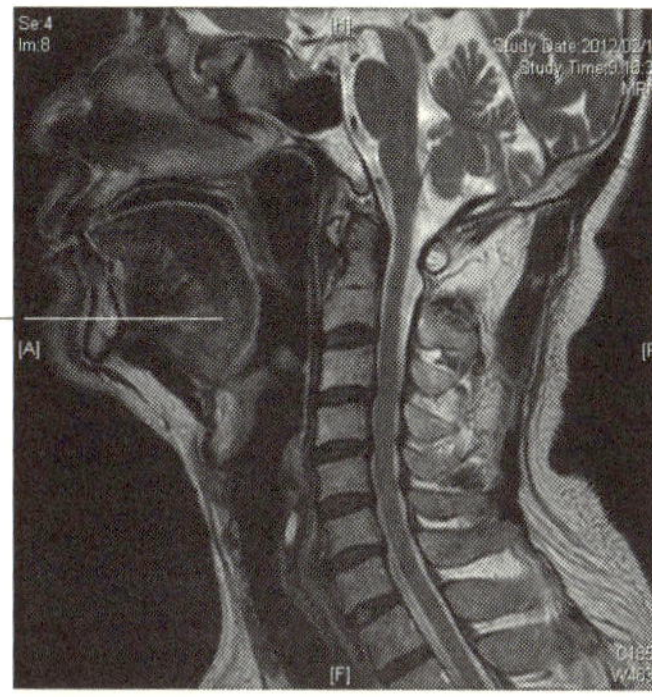

脂肪蓄積舌根筋群

舌の白い部分が脂肪。首の後ろにも脂肪が見える。このような人は睡眠時無呼吸症候群になりやすい。

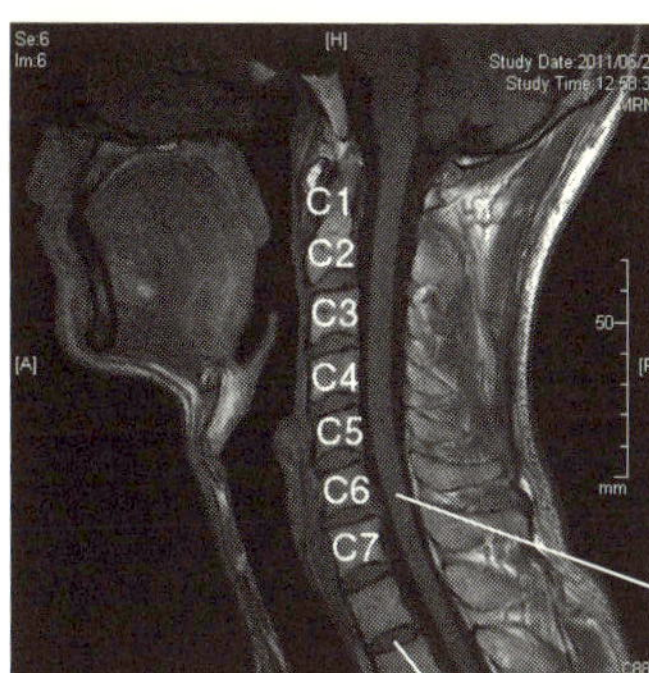

正常舌根筋群

舌や首の後ろにも余計な脂肪が見られない。

なお、C1からC7までは頸椎であり、ヘルニアになりやすいのはC4からC6のあたり。それは、この部分が顎の動きの影響を受けやすいため。話している最中などにうなずくことが多いと、頸椎のC4を中心に障害が出やすいのもそのため。

舌根筋群だけでなく、舌そのものに脂肪が蓄積することでも、イビキや睡眠時無呼吸症候群は起こってきます。舌に脂肪が増加すると、舌の筋力が低下するのと、舌自体が重くなるため、ますます舌根沈下がひどくなってしまうからです。

このように舌や舌根筋群への脂肪の蓄積が、イビキや睡眠時無呼吸症候群と関係していますといいますと、痩《や》せている人には無縁な話と思われるかもしれませんが、そうではありません。

痩せている人の睡眠時無呼吸症候群は、脂肪が原因ではなく、舌の周辺の筋肉がなぜか萎縮しているために舌根沈下がひどくなることで起こります。

いびきや睡眠時無呼吸症候群を防ぐには、こうした脂肪の蓄積や舌根筋群の萎縮を解消する必要があります。そのためにぜひおすすめしたいのが、歌うことです。拙著『医者がすすめる「演歌療法」』でもくわしく説明しています。

カラオケで楽しく歌っているだけで、脂肪の代謝が促進しますし、舌根筋群のトレーニングになります。イビキや睡眠時無呼吸症候群が気になるようでしたら、ぜひ試してみてください。睡眠の質もよくなるでしょう。

有酸素運動が中高年期の運動の基本

中高年期に適した運動の基本は、呼吸や脈拍を大きく乱さない有酸素運動です。呼吸を止め、瞬発力を出すような無酸素運動は、血圧を高め、心臓に負担をかけるので、中高年になるほど長時間行なうべきではありません。

ゴルフは、さほど激しい運動ではありませんが、動脈硬化のある人にはおすすめできません。たしかに広いグリーンを歩くのはいい運動になります。しかし、ショットでクラブを振る運動は、どうしても息を止めてしまいますし、無酸素運動になります。ショットの回数が重なると、血圧や心臓にも影響します。実際、ゴルフ場で倒れる人のほとんどは、狭心症や心筋梗塞です。

一時は健康の代名詞のようにいわれたジョギングも、必ずしもいいとは限りません。心肺機能に過度に負担をかけがちだからです。とくに初心者は早歩きから始めるといいでしょう。一分間の心拍数が九〇以下に収まるようにするのが目安です。慣れてきても一二〇以下にすべきでしょう。

自転車は、中高年の有酸素運動にとても向いています。できれば毎日、少なくとも週に三回ぐらいは、信号待ちの少ないところ、鳩などの鳥の糞がないところを選んで乗ってみてください。鳥の糞の吸引を避けるためです。

水泳も、中高年の体によい運動です。血圧や心臓に不安のある人は、泳がずに水の中を歩くだけで十分な運動になります。そのほかに、水の冷たさが皮膚を刺激して、自律神経のバランスを調えるといった効果も期待できます。

ただし、早歩きにしても、自転車にしても、水泳にしても長続きしにくいという難点があります。それは、どれもひとりで行なう運動だからです。ジョギングを始めても三日坊主で終わる人が多いのは、ひとりきりで黙々と走るからでしょう。

長続きさせるには、仲間をつくって一緒に楽しみながらやるというのがひとつのポイントです。

中国では、公園などに早朝からお年寄りが集まって太極拳や気功をやっている光景に出会います。ゆっくりと体を動かす太極拳や気功は有酸素運動ですし、仲間と一緒にやるので毎朝続くのでしょう。

運動を続けながら定期的に体力測定、基礎疾患（高血圧、糖尿病、呼吸器病、貧血症など）のチェックを行なうことも大切です。励みになりますし、自分の体の現状を知っておくこともできます。

もし、何らかの基礎疾患がある場合は、かかりつけ医に相談しながら、自分の体の状態に合わせて運動するようにしてください。

ひとりで行なう運動は長続きしない

仲間といっしょに楽しみながら運動

酸素の消費量が急激に高まる運動は避ける

医学界で、生き物の寿命は酸素消費量で決まるという「酸素寿命決定説」が注目されたことがあります。象は非常に長生きしますが、ネズミやリスのような小動物はきわめて短命です。

なぜ体の小さな動物が短命なのかというと、体の大きさに比べて酸素の消費量が多いからだといわれています。体重一グラムあたりの酸素消費量で比べると、象よりネズミのほうがずっと多いということです。

動物の性格も関係するようです。象はのんびりしていますが、ネズミはいつもビクビクしていてヒステリックであり、その影響で呼吸が速いため体格の割には酸素の消費量が多くなります。その分、活性酸素の発生量も増えてしまいます。

酸素は生命に不可欠ですが、皮肉なことに消費するほど寿命を短くします。とくに体に負荷がかかりすぎる運動をして急激に酸素を消費すると活性酸素の発生量が増えて細胞の酸化が加速し、老化が早まります。

体を鍛え抜いたスポーツ選手が、必ずしも長生きでないのも、このことと関係しているようです。

それには、スポーツ心臓といわれる異変も関係があるといわれます。

スポーツ選手の心臓には、ふつうの人よりはどうしても大きな負荷がかかるため、心臓が肥大する傾向があります。

それでも、激しいトレーニングをしているときは血液循環とのバランスがとれているのですが、引退してやらなくなると、肥大したスポーツ心臓と血液循環とのバランスが狂ってしまい、体に不具合が起こることもあります。

こうしたことからも、中高年の体には、酸素の消費量が急激に高まらず、心臓への負荷も小さいゆったりとした軽い運動が向いていることがわかります。

健康な自分をイメージしながら運動する

年齢を重ねるにつれて衰えていく体に不安を感じ、なんとかせねばと焦る気持ちで運動を始める方がいます。しかし、見ていると楽しそうではありません。すぐ変化を期待しすぎると、長続きしません。

運動を続けるには楽しみながらやることです。私が中高年者向けの運動に「ブルース・リー運動」とか「ゴキブリサンバ」といった楽しい名前を付けているのもそのためです。

もうひとつは、**健康な自分の姿をイメージしながら運動する**ことです。

ファッションモデルは、美しいフォームで歩く自分の姿をイメージしながらトレーニングします。バレリーナは舞台で演じる自分の姿をイメージしながら練習しています。ボディービルダーが鏡に向かってポーズをとるのは自己満足のためではありません。どんな筋肉をつけたいか、イメージしているのです。一種の自律訓練法です。

中高年者にとっての運動は、いつまでも寝たきりにならず自由に歩ける健康な人生を送るためですから、そんな自分をイメージしながら運動をするといいのです。それによって運動効果は何十倍にもなると私は思っています。

心の持ち方によって、分泌される脳内ホルモンの種類は違ってきます。**プラスのイメージをもちながら運動していると、脳内ホルモンが自律神経のバランスを整え、免疫力・自然治癒力が高まり、病気になりにくい体質になります。**

楽しみながら運動
＋
元気な自分・美しい自分をイメージする
＝
病気になりにくい体質をつくる！

体の動きをよくする一五の習慣

私は、講演などでよく、中高年の体の動きをよくする一五の習慣についてお話ししています。

①一日一二分以上、まとまった運動をする

医療現場で日々患者さんと接していても、現代人の運動不足を痛感します。運動には筋肉を鍛えることはもちろん、たくさんの健康効果があることは先にお話ししたとおりですが、それを知らないまま、健康になろうとするのは片手落ちです。

一日一二分以上、まとまった運動をするだけで十分、健康効果が期待できます。一二分ならちょっと意識すれば無理なく毎日続けられます。自分流の運動でもかまいませんが、本書にあるような中高年期の体に合った運動ならもっと効果的に鍛えられるでしょう。

②朝起きるとき布団の中で手足を動かして刺激する

目が覚めて布団を抜け出す前、手と手、足と足をしばらくこすり合わせます。手足を刺激することで交感神経を目覚めさせるのです。

年齢が高くなるにつれて、夜中や朝方、トイレに行くことが多くなります。そのとき、トイレで倒れることがあります。そのほとんどは心臓や脳血管の病気です。

睡眠中の体は、休息型の副交感神経によって支配されていて、急に起き上がると、あわてた交感神経が急激に血圧を上昇させ、心臓などに余分な負担をかけるからです。

朝は一気に起き上がろうとせず、必ずこの手足を刺激する運動をしてください。できれば、寝たままで二～三分、ゴキブリ体操も行なうとよいでしょう。

③起床後はゆったりとした動きで体をほぐす

朝、起き上がっても、体はまだ半分眠った状態です。その体にカツを入れてやると、一日気持ちよく過ごせます。

最初は、手足を動かします。手をギュッと握っては開き、足に力を込めては緩めます。次に伸びや前屈、腰の回転などで体を動かしてください。

これだけでも、血流が全身に戻ってきます。全身の筋肉や関節の腱も軟らかくなります。頭もすっきりして、爽快な気分で一日をスタートできるはずです。

中医学では、血液のほかに「気」と呼ばれる目に見えないエネルギーが全身をめぐっていると考えます。気功や太極拳は「気」の流れをよくするための体操です。中国へ行くと、朝の公園でたくさんの人が集まって、思い思いの体操をしているのを見かけます。みなさんも簡単なものをマスターし、爽やかな朝の空気を吸いながら、元気に「気」を引き出してください。

④足の指圧マッサージで歩ける体づくり

「老化は足から」ともいわれますが、朝晩、足を丹念にマッサージしておくと、いつまでも歩ける体づくりに役立ちます。

足を丹念にマッサージすると、血行がよくなり、新陳代謝が促進され、足の細胞の老化を防いでくれます。

膝上三センチから上は心臓ポンプによって直接、血液が循環しやすくなっています。しかし、それより下は、どうしても循環が悪くなりやすいため、マッサージして刺激するといいのです。

とくに足の裏は、全身のツボが密集しているので丁寧にマッサージしましょう。足の指に手の指をからめて握手するような形にしてグルグルと回してみてください。そのあと、にぎりこぶしで足の裏をコツコツ叩くともっといいでしょう。

⑤足に合った靴を選ぶ

靴に注意を向ける医者は少ないようですが、自分の足に合わない靴を履いていると歩く姿勢が悪くなり、脊椎のバランスが崩れ、腰痛などを起こす原因になります。

運動の基本である歩くことがスムーズに行なえるような靴選びはとても大切なことです。

⑥目や耳の健康に注意を払う

とくに中高年になると、内臓の健康には気を配る人でも、もう年だからしかたないと、目や耳の健康には、あまり注意を向けません。しかし、耳や目の機能が低下すると体の動きも悪くなります。

ものが見えづらい、耳鳴りがするなどは老化のサインです。そういうサインが出てきたら、早めに検査を受けましょう。

⑦風呂には毎日入る

生活習慣病ともいわれるように、病気の多くは生活上の不摂生が原因になっています。よくいわれるのは、過労、不摂生、睡眠不足、カゼ、ストレス、不潔の六つです。健康で動きのいい体をつくるには、こうした不摂生を改善することがとても大事です。その一つ、不潔についてですが、一日を過ごした私たちの体には、さまざまな病気の元になる菌が無数についています。風呂に入ることで、それらを洗い流すことができます。

風呂に入って体が温まると、血行がよくなり、新陳代謝が活発になって細胞の一つひとつが元気になるという効果もあります。

温かいお湯にゆったりつかれば交感神経が緩みますから、心身の緊張がほぐれ、ストレス解消にも役立ちます。

入浴の最後に冷たい水を足にかけておくと、自律神経が刺激されて交感神経と副交感神経のバランスがよくなります。全身に冷水を浴びる人もいますが、高齢者の場合は心臓に負担をかけるので、冷水かけは足だけにしてください。

⑧夜寝る前に歯磨きとうがいをする

私たちはものを食べ、そこから栄養を吸収しています。生命を養う消化吸収の仕事は、歯からスタートします。歯が悪くなると胃に負担がかかり、スムーズな消化吸収が行なえません。

噛み合わせが悪いままだと、筋肉や骨のバランスが崩れて体全体にも悪影響が出てくることもわかってきています。

何より歯の状態が悪いと、食べる楽しみが半減します。

歯の健康には歯磨きが欠かせません。とくに夜の歯磨きが大事ですし、できれば糸楊枝で歯間のゴミを除去するようにします。

うがいも口を清潔に保つために忘れずに行なってください。とくに睡眠前のうがいは、口の中の雑菌を減らし、カゼの予防をしてくれます。

最近の研究で明らかになってきたことがあります。アルコールの代謝物であるアセトアルデヒドやホルムアルデヒドは発ガン性物質ですが、口中のアルコールが雑菌によって分解されると、これらのアセトアルデヒドが作り出されます。

ですから、お酒を飲んでそのまま寝ると、口中に残ったアルコールが分解され、アルデヒドが唾液の中にたまっていきます。この悪臭のある唾液を呑み込むと、咽頭ガンや喉頭ガン、食道ガン、胃ガンの原因になる可能性があります。

とくにお酒を飲んだときは、寝る前に歯磨きとうがいを忘れないようにしてください。

⑨朝、歯を磨いてから一杯の水を飲む

目覚めた直後は胃もまだ寝ぼけまなこで、食欲もありません。歯を磨いてから新鮮な水を一杯飲むと、一晩胃にあった古い胃液が洗い流されますし、胃が刺激されて食欲が増進します。

胃が刺激されると大腸の動きも活発になり、排便がスムーズになります。起きがけに飲むたった一杯の水が、快食快便へと導いてくれるのです。

朝から胃腸の動きがいいと、体を動かすことにも前向きになれます。

⑩毎日の排便を習慣にする

朝昼晩と毎日、食事をするように、排便も食べる回数だけしたほうがいいのです。最低一日に一回以上、できるだけ同じような時間帯に排便を習慣づけるようにしてください。

⑪好きな食べ物は四割カットする

偏食していないつもりでも、ついつい好きな食べ物に偏ってしまいやすいものです。これを避けるには、好きな食べ物は四割カットするように心がけると、バランスよく食べることができるようになります。

⑫一日に一度は精神集中できる時間をもつ

体の動きをよくするには心身のバランスが大切です。それには、体面のケアと同時に心のケアも必要です。一日に一度、一〇分から二〇分、心を静めて精神を集中できる時間をもつと、ストレスがとれて心身のアンバランスの解消に役立ちます。

⑬社交的な生活を送る

人との交わりは、心を活性化し、脳細胞を刺激してくれます。年を取るにつれて脳細胞が減少していくことは防げませんが、人と交流して脳細胞を活性化すると、脳の老化スピードを抑えることができます。

人との交流は体を動かす機会もつくってくれます。約束の場に行くために歩いたり、物を持ったり、立ったり、座ったりと、交流を楽しんでいるうちに自然と体が動いているのです。

医療現場で見ていても、社交嫌いで無趣味な人から老けていく傾向があるようです。アメリカのカリフォルニア大学の調査では、「孤独な生活を送る人」の死亡率は、「社交的な生活を送る人」の三倍にも達していました。人間は友人を必要とする動物です。趣味は人を社交的にし、友人を増やすのに役立ちます。

⑭夕飯は腹八分で睡眠前三時間前までに食べ終わる

夜の食事はなるべく就寝前三時間前までに食べ終えて、それ以降は食べないようにしてください。胃に食べ物が残ったまま寝ると、それが胃底部にたまって、炎症をつくるもとになるからです。

胃底部は炎症がもっとも多いところで、胃ガンが発生しやすいところです。

⑮生活リズムを安定させる

私たちの体には太陽の運行に従ってリズムを刻む「体内時計」が備わっています。時間がくればお腹が空くし、夜になれば眠くなり朝になると目が覚めるのは、その働きによります。

この自然の時計が刻むリズムには、運動と安静、覚醒と睡眠、空腹と食事などに関わる生活リズムと、昼と夜、明るいと暗い、暑いと寒いなどに関わる環境リズムがあります。

このリズムに合わせて生活していると、体調が安定しますし、ずれると体調も不安定になります。中高年になるほど、体内時計のリズムに合わせて生活することが大事です。

V

中高年の体の中で
ほんとうに起こっていること

高度の画像診断で判明した「漏《も》れる」現象

近年の最先端医療機器の進化には目を見張るものがあります。医療の世界では、とくに画像診断が飛躍的に進み、検査も治療も大きく変わってきました。

もちろん、高度な医療機器になるほど高額ですし、それを使用するためのソフトや人材、機器のメンテナンスには驚くほどの費用がかかります。

それでも私は、医療機器の画像の質にとても強いこだわりをもっています。画像の質が高いほど診断の精度が向上し、的確な治療が可能になるからです。

じつは、これには、私が絵を描くことが好きなことも関係していると思います。

私は学生時代から演歌を歌うことが好きで、カラオケ健康法として「演歌療法」を医療の場でも活用しています。

歌とともに好きなのが絵を描くことです。子どものころから絵を描くことに関心があり、今も油絵を描き続けています。このごろは書道にも取り組んでいます。

そんな私が画像診断をするとき、医学的な視点で見るのはもちろんですが、絵画的な視点でも見ています。このことに気づいたのは最近ですが、以前から、画像診断に精通している熟練の医師でもほとんど見落としていることに気づくことが私の場合、よくあるのです。

そのなかで特に注目しているのが、加齢に伴って起きる「漏れる」という現象です。中高年期になると、体にはさまざまな老化現象が起こってきますが、私が画像診断で注目したのは、骨からカルシウムが、筋肉からタンパク質（アミノ酸）が、皮膚とその皮下組織からコラーゲン（アミノ酸）が漏れていく現象です。

「漏れる」とは私特有の表現で、通常なら「減る」とか「減少する」と表現するでしょう。しかし、この現象には、まさしく「漏れる」という表現がぴったりなのです。

①筋肉からタンパク質（アミノ酸）が漏れる

タンパク質は筋肉の主要な構成要素ですから、それらが「漏れる」と筋肉量は減り、筋力も低下します。

たとえば静脈の筋肉でこの現象が起こると、動脈の筋肉で起こるよりも血流が悪くなります。

動脈の場合は、体の上部にある心臓のポンプ作用と動脈の筋肉の働きによって血液を全身に流しています。

一方、静脈の場合は、心臓より低いところに位置することが圧倒的に多く、しかも重力に逆らって上方へと血液を流しています。静脈の筋肉と静脈弁がこの作業をします。その筋肉量の減少は、そのまま血流の悪化につながって静脈瘤や静脈炎になってしまうのです。

血流が悪くなると、血液の垢やゴミである血垢《けっこう》(私はこれらを「ミイラ物質(SM物質)」と呼んでいます)が血管内にたまりやすくなります。これが血液の塊である血栓と結びついて、脳梗塞や心筋梗塞の原因になります。

心筋で「漏れる」現象が起こって筋肉量が減少すると、心臓の拡張障害を引き起こしやすくなります。

内臓の筋肉(平滑筋)でも「漏れる」現象が起こってきます。その結果、内臓が萎縮して機能が低下します。たとえば、腎臓が萎縮すると腎不全、膵臓が萎縮すると糖尿病、脳が萎縮すると認知症、大腸壁が萎縮すると大腸憩室炎など大きな疾患につながっていきます。循環器系でも動脈壁が萎縮すると動脈瘤が、静脈壁が萎縮すると静脈瘤が起こります。

運動することで、こうした「漏れる」現象を抑えることができるのです。

②皮膚とその皮下組織からコラーゲンが漏れる

コラーゲンはアミノ酸が鎖状につながったタンパク質のひとつで、体全体のタンパク質の三〇％ぐらいを占めています。体の結合組織の主成分であり、皮膚にもびっしりつまっています。

このコラーゲンが年を取るにつれて漏れてきます。それで皮膚にはシワが増えてくるのです。それを防ぐには、ビタミンCを十分に摂取し、摂取したビタミンCを壊さないようにすることが肝心です。

それは、アミノ酸の鎖のつながりには大量のビタミンCが必要だからです。コラーゲンがいくら豊富であってもビタミンCが少なくなると、皮膚からコラーゲンが漏れてシワシワになってしまいます。

ですから、ビタミンCを十分に摂取し、摂取したビタミンCを壊さないことが、結果としてコラーゲンが「漏れる」のを防ぐことになるのです。

ビタミンCが壊れやすいことはよく知られていますが、その筆頭はタバコです。私が「禁煙外来」を積極的に行なっている理由の一つもここにあります。タバコを吸うか吸わないかで、見違えるほど変わってきます。

そのことをよく示していることで評判になった写真があります。一卵性双生児の姉妹の写真です。片方はヘビースモーカーであり、他方はタバコを吸いません。その結果、一卵性双生児でありながら、二人のシワの数や皮膚の感じは、まったく違ってしまいました。

③骨からカルシウムが漏れる

骨にとってカルシウムはもっとも重要な要素であり、これが漏れはじめると、とたんに骨は弱くなり、もろくなります。

骨はカルシウムがびっしりと詰まっていることで弾力性と強さを保つことができます。一定容積の骨に含まれるカルシウムやマグネシウムなどのミネラル成分を骨量あるいは骨密度と呼びますが、これが男女ともに三〇歳代後半をピークに減りはじめます。それは、その時期に骨からカルシウムが漏れ始めるからです。

新しい骨をつくるときは、古い骨の中にため込まれていたカルシウムやマグネシウムなどのミネラルを使います。新しい骨は、すでにあるミネラルを再利用しているのです。

ところが、カルシウムが漏れ始めると、再利用できるカルシウムが減ってくるため、新しい骨は古い骨に比べてカルシウムが少なくなってしまいます。

それがくり返されるうちに骨がどんどんカスカスになり、ちょっとつまずいただけでも骨折（圧迫骨折など）しやすくなります。これが骨粗鬆症状態です。

先にお話ししたように、運動をして骨に適度の負荷をかけると、このカルシウムが漏れる減少をやわらげることができます。

☆コラム　骨から漏れたカルシウムは血流障害や結石の原因にも

骨から漏れたカルシウムが毛細血管を詰まらせることもあります。毛細血管を詰まらせなかったとしても、そのまま血管の中を流れていって血管壁に付着し、動脈硬化や静脈硬化の一因になることもあります。

さらに、肝臓や胆嚢・胆管、腎臓、尿管に付着して「石」をつくることもあります。

そのようにはならなくても、血液にカルシウムが混ざると、血液が粘性をおびてドロドロになり、血流の勢いが失われます。

そんなとき、体が疲れたままだと、血液が酸性化し、連銭する（コインを連ねたような状態になる）ようになり、ひどいと血流が止まることさえあります。

臓器の間に脂肪がたまると臓器が萎縮《いしゅく》する

一般にメタボリック症候群は、腎臓病を引き起こす危険因子でもあるといわれていますが、それは、腎臓の外膜と後腹膜（腹部後方にある腹膜）の間に脂肪がたまり、二つの膜が引き離されることによるものと考えられます。

私は、やはり、このことを画像診断でつきとめています。

ＭＲＩやＣＴスキャンの画像を見ていますと、正常な腎臓は外膜と後腹膜がくっついていて、膜を通して栄養が移動しています（と私は考えて「臓器間交通」と呼んでいます）。ところが、この二つの膜の間に脂肪がたまって脂肪層が厚くなると、栄養の交通が途絶えて腎臓が縮んでしまうのです。私はこれをメタボの所見としています。

これを画像で見ますと、腎臓外膜と後腹膜の間にミクロのケバケバした毛髪状のものが認められます。

同じような現象は、心臓や膵臓、肝臓、副腎などでも認められますが、私はそうして臓器と臓器の間にできる脂肪層を「ファットパッド（fat pad）」と呼んでいます。

fatは脂肪、padは当て物を意味します。

「ファットパッド」という脂肪層が臓器の周囲で厚くなると、その臓器間の交流、周囲との栄養交換がしにくくなり、臓器は萎縮してしまいます。

「心肥大」は高血圧や弁膜症などによるといわれていますが、心臓の周囲にできた「ファットパッド」によっても、心臓が大きくなることがあります。これもとても重要な「メタボ」の所見であると私は考えています。

心臓の周囲のファットパッドが厚くなっていくと、毎日動いている心臓が拡張障害を起こし心肥大になります。そして、将来的に心不全に至る可能性があるのです。

これまでも、体内に脂肪が増えすぎると、さまざまな炎症が起こってくることは医学的に明らかになっていますが、「ファットパッド」が栄養の移動を妨げることで炎症反応が起こることとは、指摘されていませんでした。

私は「ファットパッド」という言葉を睡眠時無呼吸症候群の研究会での症例発表ではじめて使いました。その後、ある学会で、循環器専門の先生から「ファットパッドという言葉を使わせていただいています」と言われたこともあります。

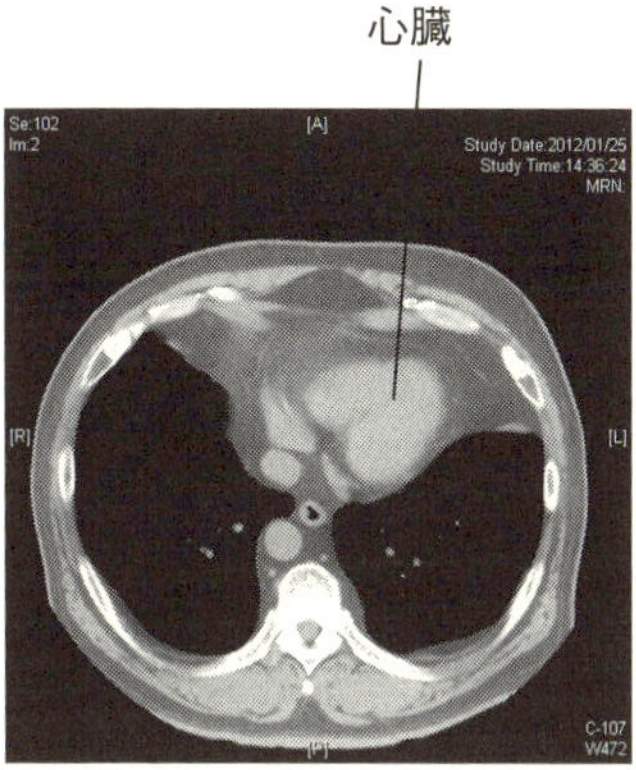

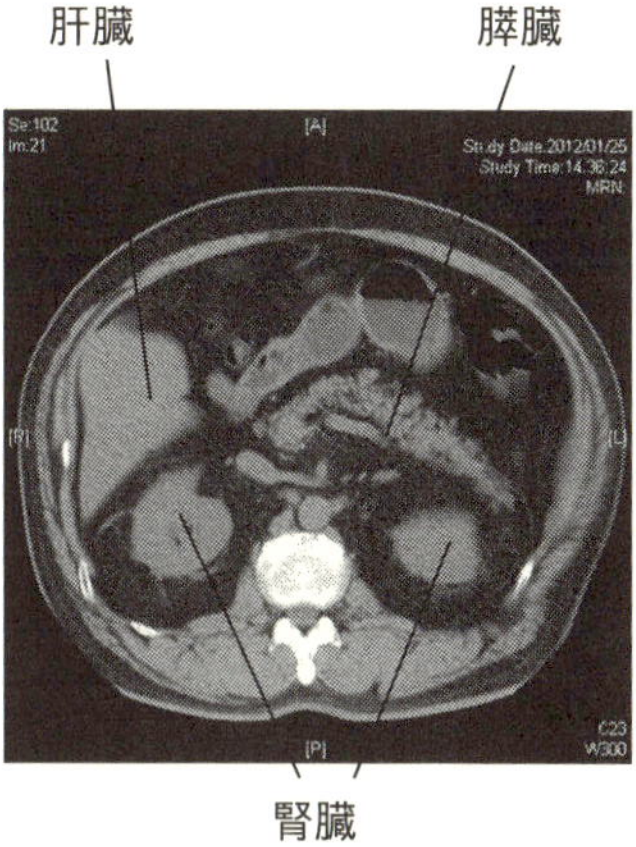

ファットパッドあり

心臓(ハート型)の周りのグレー部分がファットパッド。

黒い部分が脂肪。腎臓の周りを脂肪が覆い、腎臓が萎縮している。膵臓にも脂肪が目立つ。

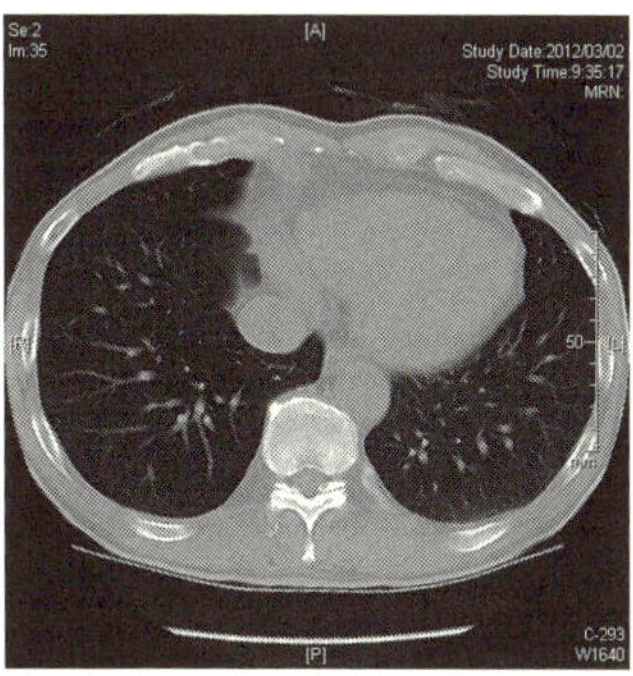

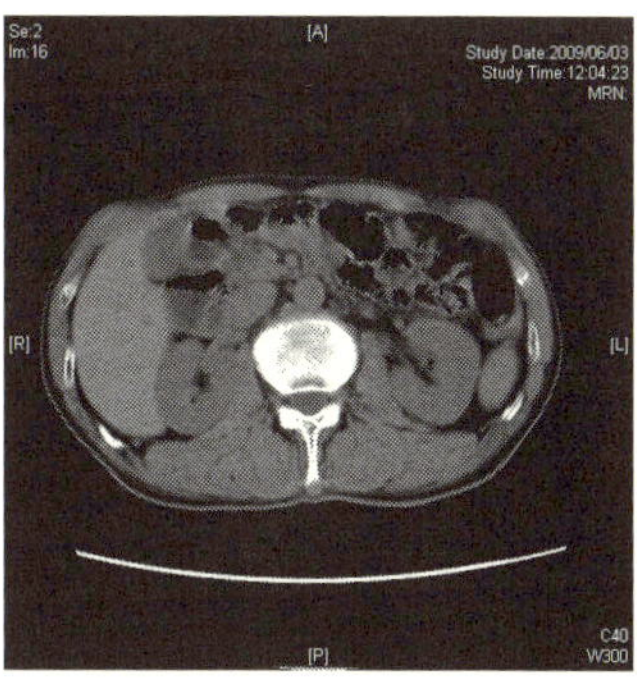

ファットパッドなし

心臓の周りに余計な脂肪がない。

腎臓の周りに余計な脂肪がない。

熱が出ないから肺炎ではない、とはいえない

　肺炎といえば、咳や呼吸困難などの症状とともに発熱すると考えるのが一般的だと思います。逆に咳をしていても熱がなければ肺炎ではないと考えて、病院に行かない人もいるのではないでしょうか。

　テレビ局からの取材などですでに何度か話していますが、「熱がないから肺炎ではない」というのは明らかに間違いです。熱がないから肺炎ではないと患者さんが思い込むのも間違いですし、医師がそう診断するのも誤りです。

　かつては国内で年間六〇〇〇人から七〇〇〇人にも達した「喘息による死亡（喘息死）」が、二〇一一年のデータでは二〇〇〇人弱まで減っています。それは、吸入ステロイド療法のおかげが大きいのですが、「喘息死」の数は、じつはもっと減らせるのです。

　そのことがわかったのも画像診断からです。数年前、無熱（平熱でこれといった発熱がない）ながら喘息状態が悪化した患者さんに対し、念のためにと胸部ＣＴスキャ

ン検査をしたことがあります。すると、驚くことに肺感染症（いわゆる肺炎）が発見されたのです。

そのことがあってから、喘息状態が悪化した患者さんについては、たとえ無熱であっても、できるだけ胸部CTスキャン検査をすることにしています。その結果、ずいぶん多くの肺感染症が発見されました。

ということは、無熱性の肺感染症を併発しているにもかかわらず、胸部CTスキャン検査をしないかぎり、気づかれないままのケースがかなりあると考えられます。「無熱であるから、肺炎ではない」と放置していると、死亡にいたる危険性はけっして少なくありません。

私のクリニックで発見された無熱性の肺感染症の患者さんは、その後、抗生物質を使った治療により、あっというまに治っています。いまは昔と違ってよい抗生物質があるため、治療さえすれば肺感染症はたちどころに治る病気です。

筋肉、骨にも脂肪はたまる

筋肉に脂肪がたまると筋力が低下することは先にお話ししましたが、筋肉だけでなく骨にも脂肪がたまる現象を画像診断で確認しています。

加齢に伴う運動不足で骨密度が低下しはじめると、骨粗鬆症に加えて、骨の中にも脂肪がたまります。私は、そのような状態の骨を「**脂肪骨**」と呼んでいます。

とくに注意が必要なのは脊椎です。脊椎が「脂肪骨」になりはじめると、圧迫骨折しやすいからです。

私は、「脂肪骨」の現象と、「脂肪骨」による圧迫骨折をＭＲＩによる検査で明らかにしています。

正常な骨の画像には脂肪の蓄積を示す白色部分はありません。しかし脂肪骨の画像には、脂肪の蓄積を示す白色部分が認められます。

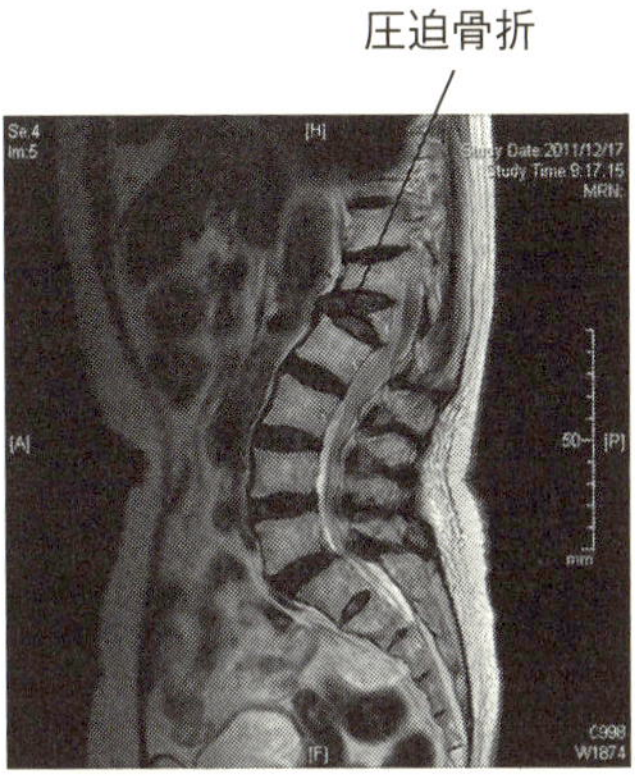

脂肪骨
椎体は脂肪により白色が目立っている。そのため骨が弱くなり圧迫骨折している。椎間板は黒ずんでいる。

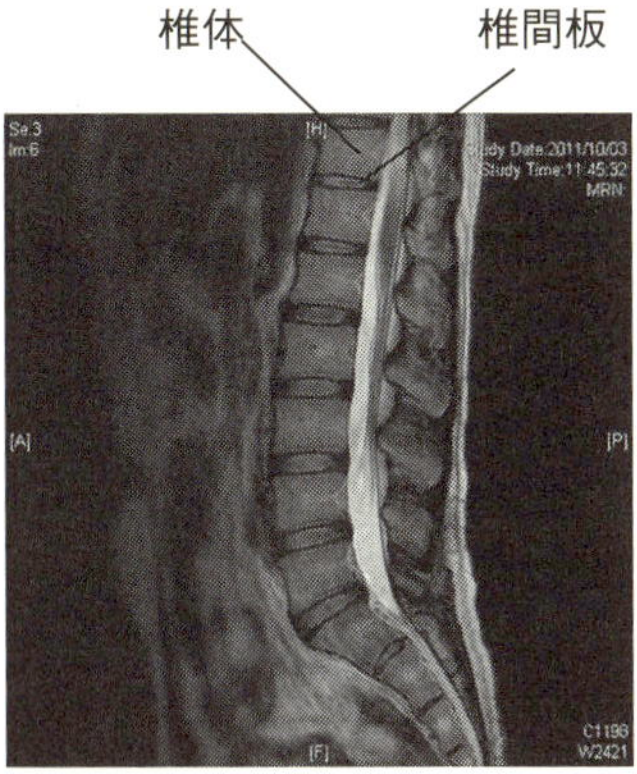

正常な骨
椎体も椎間板も脂肪がないため色濃く出ている。

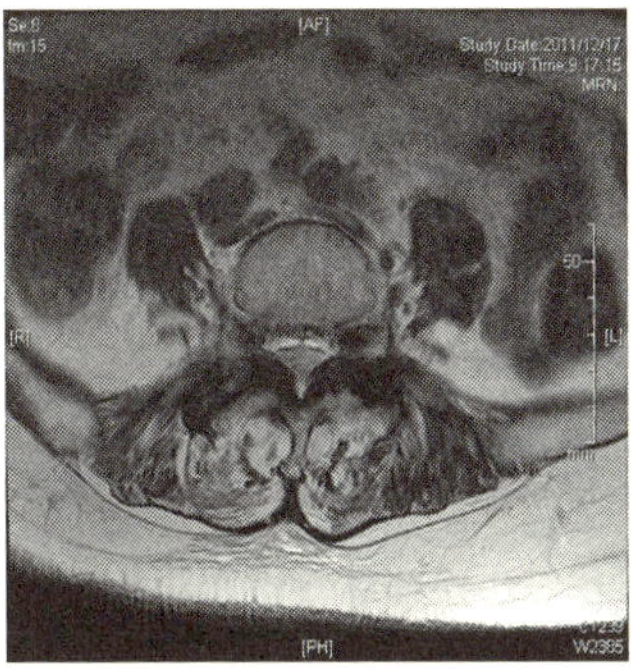

脂肪筋
筋肉内に脂肪(白色)が目立つ。これが脂肪筋。

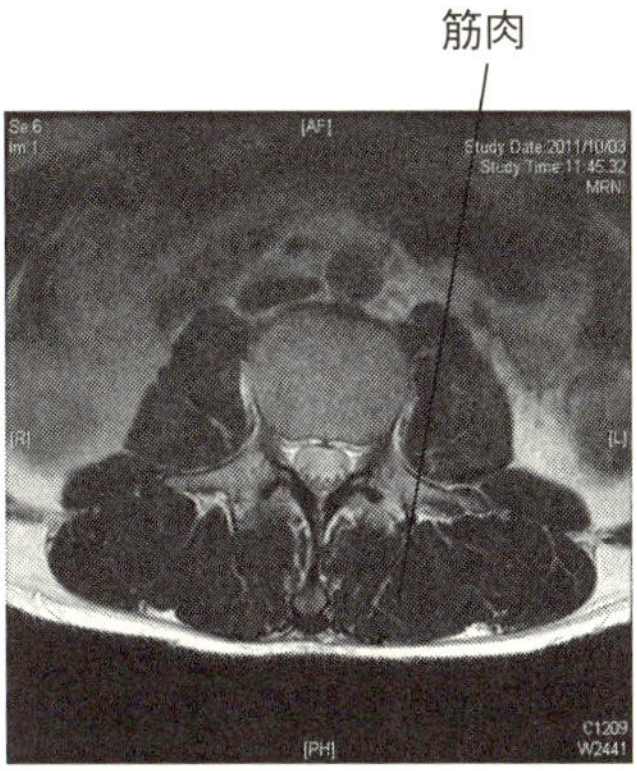

正常な筋肉
筋肉(黒色部分)内に脂肪(白色)が少ない。

同じく脂肪がたまった筋肉を「**脂肪筋**」と呼んでいます。

前頁にある画像は、腰の輪切りのＭＲＩ画像です。大腰筋と背筋の黒いすじが筋肉で、白いすじが脂肪です。このように筋肉に脂肪が入り込んだものが「脂肪筋」です。

たとえば心肥大（心臓肥大）は、高血圧や弁膜症などで心臓に負担がかかり、より強い力を出そうとして心臓が大きくなることで起こりますが、心臓の筋肉が脂肪筋になることが関係していることもあります。

中高年になると、脂肪が体内に蓄積しやすいのは避けがたい面もありますが、その**脂肪が筋肉や骨に蓄積しないようにすることが百歳まで歩ける体づくりには欠かせません。**本書で取り上げた運動は、どれも中高年の体に負担なく取り組めるものばかりです。

「案ずるより産むが易し」で、必要なのは、本書を読み終わったらすぐに始めることです。それは必ずや百歳まで歩ける体づくりのスタートになることでしょう。

60歳からはじめる寝たきりにならない超簡単筋力づくり

2012年 6 月 4 日　第 1 刷発行
2020年11月 6 日　第32刷発行

著　者――――周東　寛

発行人――――山崎　優

発行所――――コスモ21
〒171-0021　東京都豊島区西池袋2-39-6-8F
☎03（3988）3911
FAX03（3988）7062
URL http://www.cos21.com/

印刷・製本――中央精版印刷株式会社

ISBN978-4-87795-232-7　C0030